Le yoga de l'amour divin...

Śrī Śrīmad A. C. Bhaktivedanta Swami Prabhupāda, fondateur du Mouvement Hare Kṛṣṇa et grand maître de la tradition du yoga, nous explique dans ces pages qu'au-delà des postures et des exercices, les enseignements millénaires du yoga ont pour objet de nous unir avec amour à l'Être Suprême.

Livres du même auteur

La Bhagavad-gītā telle qu'elle est

Le Śrīmad-Bhāgavatam

Le Śrī Caitanya-caritāmṛta

Le Livre de Kṛṣṇa

L'Enseignement de Śrī Caitanya

Le Nectar de la dévotion

La Śrī Īśopaniṣad

L'Upadeśāmṛta

La Perfection du yoga

La Vie vient de la vie

Par-delà la naissance et la mort

Autres livres

Prabhupada : La Vie et l'œuvre du fondateur

Gloire et mystère de l'Inde

Le Goût supérieur

De nombreux autres titres sont aussi disponibles en langue anglaise et plusieurs de ces ouvrages existent en 85 langues différentes.

www.blservices.com
www.krishna.com

LA PERFECTION DU

Śrī Śrīmad
A. C. Bhaktivedanta Swami Prabhupāda
Acharya-fondateur de l'International Society for Krishna Consciousness

THE BHAKTIVEDANTA BOOK TRUST

Les personnes intéressées par la matière du présent ouvrage sont invitées à s'adresser à l'un de nos centres :

FRANCE

230 Avenue de la Division Leclerc, 95200 Sarcelles
Tél : +33 (0)1 34 45 89 12 • www.krishnaparis.com

BELGIQUE

Petite Somme 5, 6940 Septon (Durbuy)
Tél : +32 (0)86 32 29 26 • info@radhadesh.com
www.radhadesh.com

CANADA

1626 boul. Pie IX, Montréal, Québec H1V 2C5
Tél : +1-514-521-1301 • iskconmontreal@gmail.com
www.iskconmontreal.ca

ROYAUME-UNI

Tél : +44 (0)1923 851000 • readerservices@pamho.net

ou à écrire à : directory.krishna.com

La Perfection du Yoga est écrit à partir de conférences que Śrīla Prabhupāda donna en 1966 et en 1969 sur le sixième chapitre de la *Bhagavad-gītā*. Édité par son disciple Hayagrīva Dāsa (Howard Wheeler, M.A.), le livre fut publié pour la première fois en 1972.

www.krishna.com • www.bbtmedia.com • www.bbt.se

ISBN 978-91-7149-880-9

The Perfection of Yoga (French)
Imprimé en 2015

Vous pouvez vous procurer ce livre
en format numérique, gratuitement, à
www.bbtmedia.com/fr
Code: **EB16FR47596P**

CHAPITRE UN

Le yoga de la méditation impersonnelle

PLUSIEURS FORMES de yoga ont été popularisées en Occident, surtout au cours du 20e siècle, mais aucune d'elles ne représente réellement la perfection du yoga. Or, dans la *Bhagavad-gītā**, Śrī Kṛṣṇa, qui est Dieu en personne, enseigne directement à Arjuna, Son disciple, le yoga dans sa forme parfaite. Si nous désirons nous-mêmes le pratiquer, nous pouvons nous appuyer sur les révélations authentiques de Śrī Kṛṣṇa telles qu'elles sont consignées dans la *Bhagavad-gītā*.

Il est tout à fait remarquable que la perfection du yoga ait été enseignée au beau milieu d'un champ de bataille. Arjuna, un guerrier, s'apprêtait en effet à engager le combat lorsque cet enseignement lui fut donné. Victime de ses sentiments, Arjuna s'interrogeait : « Pourquoi devrais-je lutter contre mes proches ? » Son hésitation à combattre était le fruit de l'illusion, et c'est à seule fin de dissiper cette illusion que Śrī Kṛṣṇa lui énonça la *Bhagavad-*

* Pour les mots sanskrits et les concepts mal connus, voir le *Guide de prononciation du sanskrit* en page 57 et le *Glossaire* en page 58.

gītā. Imaginez un peu la brièveté de l'action. De part et d'autre du champ de bataille, les guerriers n'attendaient que le signal du combat. Śrī Kṛṣṇa ne disposait donc que de peu de temps – une heure tout au plus – pour énoncer la *Bhagavad-gītā*. Malgré cette contrainte, Il parvint à mettre en évidence pour Son ami Arjuna la perfection de tous les yogas.

Au cours de leur entretien, cependant, lorsque Kṛṣṇa lui présenta le yoga de la méditation – qui consiste à s'asseoir en un lieu isolé dans une posture droite et à garder les yeux mi-clos tout en fixant son regard sur le bout de son nez, sans se laisser distraire par quoi que ce soit, – Arjuna Lui répondit :

yo 'yaṁ yogas tvayā proktaḥ sāmyena madhusūdana
etasyāhaṁ na paśyāmi cañcalatvāt sthitiṁ sthirām

« Ce yoga que Tu as succinctement décrit, ô Madhusūdana, me semble impraticable, car le mental est instable et capricieux. » (*Gītā* 6.33)

Il s'agit là d'un point important. Nous ne devons en effet jamais oublier que dans le contexte matériel où nous vivons, notre mental est constamment perturbé par quelque chose. À vrai dire, notre condition n'est pas très confortable. Nous pensons sans arrêt qu'en modifiant la situation dans laquelle nous nous trouvons, nous viendrons à bout de nos tourments, et qu'à un moment donné, tout tracas disparaîtra. Mais la nature de l'univers matériel est telle que nous ne pouvons échapper à l'anxiété. Nous sommes face à un paradoxe : nous cherchons sans relâche la solution à tous nos problèmes, mais l'univers que nous habitons est conçu de telle manière que la solution ne se concrétise jamais.

On ne peut plus franc et ouvert, Arjuna déclare sans détour à Kṛṣṇa qu'il lui est impossible de pratiquer le type de yoga qu'Il vient de lui décrire. Le fait qu'Arjuna s'adresse à Kṛṣṇa en L'appelant Madhusūdana (Celui qui a tué le démon Madhu) est particulièrement révélateur. Il est à noter que les noms de Dieu sont innombrables, car on Le désigne souvent en fonction de Ses actions, qui sont justement sans nombre. Nous ne sommes nous-mêmes que des parcelles de Dieu, et nous ne pouvons même pas nous rappeler le nombre d'actions que nous avons accomplies depuis notre enfance. Or, Dieu est infini, et puisque Ses actions le sont aussi, Il possède d'innombrables noms, dont le principal est Kṛṣṇa. Pourquoi donc Arjuna s'adresse-t-il à Lui en L'appelant Madhusūdana, alors qu'il est Son ami et qu'il pourrait directement L'appeler Kṛṣṇa ? La réponse est qu'Arjuna considère son mental comme un redoutable démon, semblable au monstrueux Madhu ; et il se dit que si Kṛṣṇa parvient à détruire ce démon qu'est son mental, alors il pourra atteindre la perfection du yoga. « Mon mental est beaucoup plus puissant que ce Madhu, dit en fait Arjuna ; si seulement Tu pouvais l'anéantir, j'aurais enfin la possibilité de pratiquer cette forme de yoga. » Ainsi, même le mental d'un aussi grand homme qu'Arjuna est en proie à une agitation constante. Voici ses propres mots :

cañcalaṁ hi manaḥ kṛṣṇa pramāthi balavad dṛḍham
tasyāhaṁ nigrahaṁ manye vāyor iva su-duṣkaram

« Le mental, ô Kṛṣṇa, est mouvant, impétueux, puissant et obstiné ; le subjuguer me semble plus ardu que maîtriser le vent. » (*Gītā* 6.34)

C'est un fait indéniable que le mental nous dicte constamment notre conduite : « Viens ici », « va là-bas », « fais ceci », « fais cela ». La pratique du yoga a par conséquent pour objet ultime de subjuguer le mental fébrile. Dans le cas du yoga de la méditation, il s'agit de maîtriser le mental en se concentrant sur l'Âme Suprême – le but final du yoga.

Mais Arjuna objecte qu'il est plus difficile de maîtriser le mental que d'empêcher le vent de souffler. Et qui peut imaginer un homme étendant les bras dans l'espoir d'arrêter un ouragan ! Doit-on en conclure qu'Arjuna ne possède tout simplement pas les qualités nécessaires pour maîtriser son mental ? En vérité, nous ne pouvons même pas imaginer l'ampleur des capacités d'Arjuna. Après tout, n'était-il pas un ami personnel de Dieu Lui-même, le Seigneur Suprême ? Il s'agit là d'une position fort élevée, que personne ne peut atteindre à moins de posséder des qualités tout à fait exceptionnelles. De plus, Arjuna avait le renom d'être un puissant guerrier et un brillant administrateur. Son intelligence était si grande qu'il comprit la *Bhagavad-gītā* en moins d'une heure, alors que de nos jours, les plus grands érudits n'y parviennent même pas en une vie. Pourtant, Arjuna considérait qu'il lui était tout simplement impossible de maîtriser son mental. Pouvons-nous dès lors prétendre que ce qui était impossible pour Arjuna à une époque plus évoluée que la nôtre est possible pour nous, à l'époque dégénérée où nous vivons ? Nous ne devrions jamais, fût-ce pour un instant, nous imaginer que nous sommes du même calibre qu'Arjuna ; nous lui sommes en effet mille fois inférieurs.

Par ailleurs, il n'est mentionné nulle part qu'Arjuna ait pratiqué le yoga à un moment ou à un autre. Et pourtant, Kṛṣṇa l'a glorifié comme le seul homme digne de comprendre la *Bhagavad-gītā*. Quel était donc son mérite ? La réponse se trouve dans les paroles mêmes de Śrī Kṛṣṇa : « Tu es Mon dévot. Tu es Mon ami très cher. » Et pourtant, en dépit de cela, Arjuna s'est refusé à pratiquer le yoga de la méditation décrit par Kṛṣṇa. Que devons-nous en conclure ? Devons-nous désespérer de voir un jour notre mental maîtrisé ? Non. Le mental peut bel et bien être maîtrisé – grâce aux pratiques de la conscience de Kṛṣṇa. Il s'agit de toujours fixer son mental sur Kṛṣṇa ; et dans la mesure où nous parvenons à nous absorber en Kṛṣṇa, nous accédons à la perfection du yoga.

Dans le douzième chant du *Śrīmad-Bhāgavatam*, Śukadeva Gosvāmī explique à Mahārāja Parīkṣit qu'au cours de l'âge d'or, le Satya-yuga, les gens vivaient cent mille ans, et qu'avec une telle longévité, à une époque où les gens étaient plus évolués, il était possible de pratiquer le yoga de la méditation. Il poursuit en disant que les résultats obtenus par la pratique de la méditation au cours du Satya-yuga, par des rituels d'oblation majestueux au cours de l'âge suivant, le Tretā-yuga, et par le culte dans les temples au cours du troisième âge, le Dvāpara-yuga, seraient obtenus au cours du présent âge, le Kali-yuga, par le simple chant des noms de Dieu (*hari-kīrtana*), Hare Kṛṣṇa. Nous apprenons ainsi de source autorisée que ce chant incarne la perfection du yoga pour l'époque à laquelle nous vivons :

Hare Kṛṣṇa Hare Kṛṣṇa, Kṛṣṇa Kṛṣṇa Hare Hare
Hare Rāma Hare Rāma, Rāma Rāma Hare Hare

De nos jours, nous avons beaucoup de mal à vivre ne serait-ce qu'une soixantaine d'années, et aucun homme ne vit plus de quatre-vingts ou cent ans. De plus, ces courtes années sont toujours chargées d'angoisse et appesanties par les difficultés qu'entraînent la guerre, les épidémies, la famine et autres tribulations. Nous ne sommes par ailleurs pas très intelligents, et l'infortune nous accable. Telles sont en effet les caractéristiques des humains vivant dans cette ère de dégradation, le Kali-yuga. À proprement parler, il n'est donc pas question pour nous de réussir à pratiquer le yoga de la méditation tel que le décrivit Kṛṣṇa. Nous ne pouvons tout au plus que satisfaire nos caprices personnels en adaptant ce yoga à notre façon. C'est ainsi que des gens déboursent de l'argent pour suivre des cours de gymnastique et de respiration profonde, heureux à la simple pensée qu'ils pourront peut-être ainsi prolonger leur existence de quelques années ou jouir d'une meilleure vie sexuelle. Mais nous devons bien comprendre que tout cela n'a rien à voir avec la vraie pratique du yoga.

Au cours de cet âge, le yoga de la méditation ne peut être pratiqué comme il se doit. Tous les bienfaits de ce yoga peuvent toutefois être obtenus à travers le *bhakti-yoga,* la pratique sublime de la conscience de Kṛṣṇa, et plus particulièrement par le mantra yoga, ou la glorification de Śrī Kṛṣṇa par le chant du mantra Hare Kṛṣṇa. Telle est la voie recommandée par les Écritures védiques, et enseignée par de grands maîtres comme Caitanya Mahāprabhu. De fait, la *Bhagavad-gītā* proclame que les *mahātmās,* les grandes âmes, chantent constamment les gloires du Seigneur. Celui qui désire devenir un *mahātmā* selon les normes des Écritures védiques, de la *Bhagavad-gītā* et des grands maîtres doit donc adopter la voie de la conscience de Kṛṣṇa et le chant du mantra Hare Kṛṣṇa. Si au contraire, nous sommes satisfaits de nous donner en spectacle en prétendant méditer et entrer en transe, assis bien droit dans la position du lotus, c'est une toute autre histoire. Mais nous devons bien comprendre que de telles exhibitions n'ont rien à voir avec la perfection réelle du yoga. La fièvre matérielle ne peut être guérie à l'aide de médicaments artificiels ; nous devons suivre le véritable traitement prescrit par Kṛṣṇa en personne.

CHAPITRE DEUX

Le yoga de l'action dans la dévotion

NOUS ENTENDONS parler de toutes sortes de *yogīs* et de formes de yoga ; mais Kṛṣṇa explique dans la *Bhagavad-gītā* que le véritable *yogī* est celui qui s'abandonne complètement à Lui. Il proclame en effet qu'il n'existe aucune différence entre le renoncement (*sannyāsa*) et le yoga :

yaṁ sannyāsam iti prāhur yogaṁ taṁ viddhi pāṇḍava
na hy asannyasta-saṅkalpo yogī bhavati kaścana

« Sache, ô fils de Pāṇḍu, qu'on ne peut séparer le yoga, la communion avec l'Absolu, du renoncement, car nul ne peut devenir un *yogī* sans abandonner tout désir de jouissance matérielle. » (*Gītā* 6.2)

La *Bhagavad-gītā* décrit essentiellement trois formes de yoga : le *karma-yoga*, le *jñāna-yoga* et le *bhakti-yoga*. On peut comparer les différentes formes de yoga aux marches d'un escalier, si bien que selon le yoga pratiqué, on peut se trouver au pied de l'escalier, à mi-chemin vers le sommet, ou encore sur la plus haute marche. Selon le niveau qu'il a atteint, le *yogī* porte différents noms, tels que *karma-yogī*, *jñāna-yogī*, etc. Dans tous les cas, cependant, le principe qui consiste à servir le Seigneur Suprême reste le même ; la différence réside dans le degré d'élévation. C'est pourquoi

Śrī Kṛṣṇa explique à Arjuna qu'il est important pour lui de comprendre que le renoncement (*sannyāsa*) et le yoga sont une seule et même chose ; car à moins de s'affranchir du désir de satisfaire ses sens, on ne peut devenir ni un *yogī* ni un *sannyāsī*.

Certains *yogīs* pratiquent le yoga afin d'en tirer un profit, mais ce n'est pas là ce qu'on entend par yoga. Tout doit être utilisé au service du Seigneur. Tout ce que nous faisons, que ce soit en tant que simple travailleur ou en tant que *sannyāsī*, *yogī* ou philosophe, doit être fait dans la conscience de Kṛṣṇa. Car lorsque nos pensées s'absorbent dans le service de Kṛṣṇa et que nous agissons dans cette conscience, alors seulement pouvons-nous devenir de véritables *sannyāsīs* et de véritables *yogīs*.

Ceux qui s'engagent sur la première marche de l'escalier du yoga ne doivent pas abandonner l'action. Il ne faut pas croire qu'on cesse d'agir simplement parce qu'on s'est engagé sur la voie du yoga. Dans la *Bhagavad-gītā*, Kṛṣṇa demande à Arjuna de devenir un *yogī*, mais jamais Il ne lui dit de renoncer au combat ; bien au contraire. On peut bien sûr se demander comment quelqu'un peut devenir un *yogī* tout en étant un guerrier. Nous associons en effet la pratique du yoga au fait de s'asseoir bien droit, les jambes croisées, les yeux mi-clos et fixés sur le bout du nez, en pleine concentration dans un lieu solitaire. Comment se fait-il donc que Kṛṣṇa demande à Arjuna de devenir un *yogī* tout en insistant pour qu'il prenne part à une horrible guerre civile ? Tel est le grand secret de la *Bhagavad-gītā* : on peut devenir le plus grand des *yogīs*, le plus grand des *sannyāsīs*, tout en demeurant un guerrier. Comment est-ce possible ? Par la conscience de Kṛṣṇa. Il suffit de combattre pour Kṛṣṇa, de travailler pour Kṛṣṇa, de manger pour Kṛṣṇa, de dormir pour Kṛṣṇa et de dédier toutes ses activités à Kṛṣṇa. Voilà comment l'on devient le plus grand des *yogīs* et le plus grand des *sannyāsīs*. Voilà le secret.

Dans le sixième chapitre de la *Bhagavad-gītā,* Śrī Kṛṣṇa instruit Arjuna sur les techniques du yoga de la méditation, mais Arjuna rejette cette pratique qu'il juge trop difficile. Comment dès lors peut-on considérer Arjuna comme un grand *yogī ?* Même après l'avoir vu rejeter le yoga de la méditation, Kṛṣṇa déclare pourtant Arjuna le plus grand des *yogīs* du simple fait qu'il pense toujours à Lui. Le fait de penser à Kṛṣṇa est l'essence de tous les yogas, qu'il s'agisse du *haṭha-yoga,* du *karma-yoga,* du *jñāna-yoga,* du *bhakti-yoga* ou de toute autre forme de yoga, de sacrifice ou d'œuvre charitable. Toutes les pratiques recommandées en vue de la réalisation spirituelle trouvent leur aboutissement dans la conscience de Kṛṣṇa, dans le fait de penser constamment à Kṛṣṇa. Et la perfection même de la vie humaine consiste à être toujours conscient de Kṛṣṇa, à toujours avoir Kṛṣṇa à l'esprit dans toutes nos activités.

Au stade préliminaire, il est recommandé de travailler sans relâche pour Kṛṣṇa. Il faut constamment s'atteler à un devoir ou à une occupation quelconque, car il n'est pas bon de rester inactif ne serait-ce qu'une seconde. Lorsqu'on progresse de façon tangible grâce à un tel mode d'action, on atteint un niveau où l'on peut ne pas être actif physiquement, mais le demeurer intérieurement en pensant constamment à Kṛṣṇa. Tant que l'on n'a pas atteint ce niveau, cependant, il est fortement recommandé de toujours engager ses sens au service de Kṛṣṇa. Il existe toute une gamme d'activités qu'on peut accomplir pour servir Kṛṣṇa. Le Mouvement International pour la Conscience de Kṛṣṇa est d'ailleurs précisément conçu pour guider les aspirants au service de dévotion dans l'accomplissement de telles activités. Pour ceux qui agissent dans la conscience de Kṛṣṇa, il n'y a tout simplement pas assez d'heures dans une journée pour servir Kṛṣṇa. Le jour comme la nuit, les étudiants accomplissent mille et une activités, et cela dans la plus grande joie. C'est d'ailleurs là le vrai bonheur : toujours œuvrer pour Dieu et s'efforcer de répandre la conscience de Kṛṣṇa à travers le monde. Dans l'univers matériel, on peut s'épuiser à travailler sans cesse, mais lorsqu'on agit dans la conscience de Kṛṣṇa, on peut chanter Hare Kṛṣṇa et pratiquer le service de dévotion vingt-quatre heures sur vingt-quatre sans jamais se fatiguer. Lorsqu'au contraire on ne fait vibrer que des sons d'inspiration purement matérielle, on a tôt fait de s'épuiser. Sur le plan spirituel il n'est pas question de lassitude, car le plan spirituel est absolu. Dans l'univers matériel, tout le monde agit dans le but de satisfaire ses sens ; tous les profits de notre labeur sont utilisés pour la gratification sensorielle. Mais le véritable *yogī* ne désire pas récolter de tels fruits ; il ne nourrit aucun désir en dehors de Kṛṣṇa, et Kṛṣṇa est d'ores et déjà présent.

CHAPITRE TROIS

Le yoga de la méditation sur Kṛṣṇa

ON TROUVE EN INDE des lieux saints où les *yogīs* se rendent pour méditer dans la solitude, ainsi que le recommande la *Bhagavad-gītā*. Dans sa forme traditionnelle, il n'est pas possible de pratiquer le yoga dans un lieu public. Mais lorsqu'on parle de mantra yoga ou de *kīrtana,* c'est-à-dire du chant du mantra : Hare Kṛṣṇa, Hare Kṛṣṇa, Kṛṣṇa Kṛṣṇa, Hare Hare / Hare Rāma, Hare Rāma, Rāma Rāma, Hare Hare, plus il y a de personnes présentes, plus les résultats sont heureux. Il y a cinq cents ans, en Inde, lorsque Śrī Caitanya Mahāprabhu organisait un *kīrtana,* Il plaçait seize personnes à la tête de chaque groupe pour diriger le chant, auquel répondaient en chœur des milliers de personnes. Cette pratique du *kīrtana,* qui consiste à chanter en public les noms et les gloires de Dieu, est tout à fait praticable, et même particulièrement accessible à notre époque, alors qu'au contraire le yoga de la méditation est très ardu. La *Bhagavad-gītā* spécifie d'ailleurs clairement que pour le pratiquer, il faut se retirer dans un lieu saint et solitaire; autrement dit, il faut quitter son foyer. Et dans cet âge de surpopulation, il n'est pas toujours possible de trouver un tel lieu. Mais rien de tout cela n'est nécessaire pour pratiquer le *bhakti-yoga*.

Le *bhakti-yoga* comporte 9 pratiques distinctes : l'écoute, le chant, le souvenir, le service formel du Seigneur, le culte de la *mūrti* dans le temple, la prière, l'accomplissement des désirs du Seigneur, le service amical de Kṛṣṇa et le sacrifice de tout ce que l'on possède. Parmi ces pratiques, l'écoute et le chant (*śravaṇaṁ kīrtanam*) sont considérées les plus importantes. Lors d'un *kīrtana* (chant public), une personne peut chanter le *mahā-mantra :* Hare Kṛṣṇa, Hare Kṛṣṇa, Kṛṣṇa Kṛṣṇa, Hare Hare / Hare Rāma, Hare Rāma, Rāma Rāma, Hare Hare, tandis qu'un groupe de gens écoute ; et à la fin du mantra, le groupe peut reprendre le chant, permettant ainsi au premier chanteur d'écouter à son tour. L'écoute et le chant alternent ainsi dans un échange réciproque. On peut facilement se livrer à cette pratique chez soi, en famille ou entre amis, ou encore en groupes plus importants, dans un lieu public.

Quant au yoga de la méditation, on peut toujours essayer de le pratiquer au cœur d'une grande ville ou en société, mais il faut bien savoir que c'est là une invention de toutes pièces n'ayant rien à voir avec la méthode recommandée dans la *Bhagavad-gītā*. La pratique du yoga ne vise qu'un but : se purifier. Qu'entend-on ici par purification ? Il s'agit de la purification qui s'opère lorsqu'on prend conscience de son identité réelle : « Je suis pur esprit – je n'appartiens pas à la matière. » Au contact de la matière, nous nous identifions à elle et pensons : « Je suis ce corps. » Or, si nous voulons vraiment pratiquer le yoga, nous devons réaliser que, de par notre constitution propre, nous sommes distincts de la matière. La recherche d'un lieu retiré pour y pratiquer le yoga de la méditation ne vise que cette réalisation ; et il est impossible d'y parvenir si l'on n'applique pas la méthode correctement. Quoi qu'il en soit, voici ce que préconise Śrī Caitanya Mahāprabhu :

harer nāma harer nāma harer nāmaiva kevalam
kalau nāsty eva nāsty eva nāsty eva gatir anyathā

« En cet âge de discorde et de conflits (le Kali-yuga), il n'y a pas d'autre voie de réalisation spirituelle que le chant des saints noms. Il n'y a pas d'autre voie, il n'y a pas d'autre voie, il n'y a pas d'autre voie. »

On croit généralement, du moins en Occident, que la pratique du yoga sous-entend la méditation sur le vide. Mais les Écritures védiques ne recommandent en aucun cas de méditer sur un vide quelconque. Les *Vedas* soutiennent au contraire, tout comme la *Bhagavad-gītā* d'ailleurs, que le yoga se pratique en méditant sur Viṣṇu. Dans beaucoup d'écoles de yoga, on peut voir les gens assis bien droit, les jambes croisées et les yeux fermés pour méditer ; mais la moitié d'entre eux finissent par s'endormir, car lorsqu'on ferme les yeux sans objet de contemplation précis, on ne peut pas faire autrement que de succomber au sommeil. Il va sans dire que ce n'est pas là ce que recommande Śrī Kṛṣṇa dans la *Bhagavad-gītā*. Il faut plutôt maintenir une posture bien droite, les yeux seulement à demi clos, et concentrer son regard sur le bout de son nez. Si l'on n'adhère pas strictement à ces instructions, le sommeil sera le seul fruit qu'on récoltera. Il arrive bien parfois que la méditation se poursuive pendant le sommeil, mais ce n'est pas là la méthode recommandée pour la pratique du yoga. C'est pourquoi Kṛṣṇa recommande de toujours maintenir l'extrémité du nez dans son champ de vision afin de rester éveillé. De plus, il faut demeurer imperturbable quoi qu'il arrive. Si notre esprit est troublé, ou s'il y a trop de mouvement autour de soi, on ne réussira pas à se concentrer. Le yoga de la méditation exige également que l'on soit sans peur ; la peur n'a plus sa place lorsqu'on s'engage dans la vie spirituelle. Il faut en outre vivre en *brahmacārī*, c'est-à-dire dans l'abstinence sexuelle la plus complète. Et aucun besoin du corps ne doit nous distraire de notre méditation. S'il en est ainsi, et qu'on suit rigoureusement cette méthode, on pourra maîtriser son mental. Une fois ces conditions remplies, il faut transférer toutes ses pensées sur Kṛṣṇa, ou Viṣṇu ; il n'est pas question d'absorber sa pensée dans le vide. C'est pourquoi Kṛṣṇa déclare que celui qui pratique le yoga de la méditation pense constamment à Lui.

De toute évidence, le *yogī* doit se soumettre à de rudes épreuves avant de pouvoir purifier l'*ātmā* (le corps, le mental et l'âme), mais c'est un fait avéré qu'on peut obtenir le même résultat en cet âge, et avec un maximum d'efficacité, grâce au chant du *mantra :*

hare kṛṣṇa hare kṛṣṇa, kṛṣṇa kṛṣṇa hare hare
hare rāma hare rāma, rāma rāma hare hare

Comment est-ce possible ? Tout simplement parce que cette vibration sonore transcendantale n'est pas différente de Dieu Lui-même. Lorsque nous chantons Son nom avec dévotion, Kṛṣṇa est avec nous ; et lorsque Kṛṣṇa est avec nous, comment pourrions-nous demeurer impurs ? Par conséquent, celui qui s'absorbe dans la conscience de Kṛṣṇa, dans le chant des saints noms de Kṛṣṇa et dans le service constant de Sa personne récolte les bienfaits du yoga dans sa forme la plus parfaite, sans avoir à affronter toutes les difficultés qu'engendre la pratique du yoga de la méditation. Tel est le charme de la conscience de Kṛṣṇa.

Pour pratiquer le yoga, il est nécessaire de maîtriser chacun de ses sens, et une fois cette tâche accomplie, il faut absorber son mental dans la pensée de Viṣṇu. En surmontant ainsi l'existence matérielle, on atteint la paix.

jitātmanaḥ praśāntasya paramātmā samāhitaḥ

« Celui qui est serein parce qu'il a conquis son mental a déjà atteint l'Âme Suprême. » (*Gītā* 6.7) L'univers matériel est parfois comparé à une forêt en flammes. Il arrive en effet qu'un incendie éclate spontanément dans une forêt, sans cause apparente. Pareillement, dans l'univers matériel, même si nous nous efforçons de vivre paisiblement, il se produit toujours quelque bouleversement. On ne peut vivre en paix nulle part dans l'univers. La paix n'est accessible qu'à celui qui s'établit sur le plan spirituel, que ce soit par le yoga de la méditation, la philosophie empirique ou le *bhakti-yoga*. Toutes les formes de yoga sont conçues pour nous donner accès à la vie spirituelle, mais il reste que le chant des saints noms est tout particulièrement efficace à notre époque. Un *kīrtana* peut se prolonger pendant plusieurs heures sans qu'on éprouve la moindre fatigue, alors qu'il est très difficile de s'asseoir dans la position du lotus et de rester parfaitement immobile pendant plus de quelques minutes. Néanmoins, quelle que soit la voie qu'on emprunte, une fois le brasier de l'existence matérielle éteint, on ne se retrouve pas dans ce qu'on appelle communément le vide impersonnel. Ainsi que Kṛṣṇa le déclare à Arjuna, on pénètre plutôt dans le royaume suprême.

yuñjann evaṁ sadātmānaṁ yogī niyata-mānasaḥ
śāntiṁ nirvāṇa-paramāṁ mat-saṁsthām adhigacchati

« Ainsi, parce qu'en maîtrisant constamment son corps, son mental et ses actes, le *yogī* délaisse la vie matérielle, il atteint le royaume de Dieu [la demeure de Kṛṣṇa]. » (*Gītā* 6.15)

Le royaume de Kṛṣṇa n'est pas du tout vide. On peut le comparer à un établissement où se multiplient les occupations. C'est ce royaume où règne la diversité spirituelle qu'atteint le *yogī* accompli. Les différentes formes de yoga ne sont qu'autant de méthodes permettant de s'élever jusqu'à cette demeure suprême. En fait, nous appartenons à ce royaume, mais en proie à l'oubli, nous nous retrouvons dans l'univers matériel. Tout comme des fous furieux qu'on enferme dans un asile d'aliénés, nous avons perdu la tête en oubliant notre identité spirituelle, si bien que nous avons gagné d'être placés dans l'univers matériel. Cet univers est effectivement une sorte d'asile d'aliénés, ce dont on se rend facilement compte lorsqu'on regarde autour de soi. Notre vraie tâche consiste donc à quitter ce monde pour entrer dans le royaume de Dieu. Dans la *Bhagavad-gītā,* Kṛṣṇa nous parle de ce royaume, et Il nous instruit sur Sa position comme sur la nôtre, sur ce qu'Il est et sur ce que nous sommes. Tous les renseignements nécessaires sont présentés dans la *Bhagavad-gītā,* et tout homme sain d'esprit ne manquera pas d'en tirer parti.

CHAPITRE QUATRE

La maîtrise du corps et du mental par le yoga

D'UN BOUT À L'AUTRE de la *Bhagavad-gītā,* Kṛṣṇa encourage Arjuna à se battre, car il est un guerrier, dont le devoir est justement de combattre. Même si Kṛṣṇa décrit le yoga de la méditation dans le sixième chapitre, Il n'insiste pas sur sa pratique, pas plus qu'Il n'encourage Arjuna à opter pour cette voie. Il reconnaît d'ailleurs Lui-même que cette forme de yoga est très difficile à pratiquer :

śrī-bhagavān uvāca
asaṁśayaṁ mahā-bāho mano durnigrahaṁ calam
abhyāsena tu kaunteya vairāgyeṇa ca gṛhyate

« Le Seigneur, Kṛṣṇa, dit : Ô fils de Kuntī aux bras puissants, il est certes très difficile de dompter ce mental fuyant. Mais le détachement et une pratique adéquate permettent d'y arriver. » (*Gītā* 6.35)

Kṛṣṇa met ici l'emphase sur le renoncement et sur une pratique soutenue comme moyens de maîtriser le mental. Mais qu'est-ce que le renoncement ? De nos jours, il est pratiquement impossible de renoncer à quoi que ce soit tellement nous sommes habitués à toutes sortes de plaisirs matériels. Néanmoins, en dépit du fait que nous menons une existence de licence débridée, nous suivons des cours de yoga et nous nous attendons à réussir dans cette discipline. La pratique fructueuse du yoga s'accompagne de si nombreuses restrictions, quand la plupart d'entre nous ont du mal à se défaire d'une habitude aussi simple que celle de fumer. Dans Son exposé sur le yoga de la méditation, Kṛṣṇa établit par exemple que personne ne peut pratiquer le yoga dans les règles s'il mange trop ou trop peu. Celui qui se laisse dépérir ne peut donc pas pratiquer correctement le yoga, pas plus que celui qui ingurgite davantage de nourriture qu'il n'en a besoin. Il faut manger de façon modérée, juste assez pour maintenir l'âme unie au corps ; il n'est pas question de se nourrir pour le seul plaisir de la langue. Lorsque nous nous trouvons devant des mets appétissants, nous nous contentons difficilement d'un seul plat. L'habitude nous pousse à en prendre deux, trois ou quatre, et même plus. Notre sens du goût n'est jamais satisfait. En Inde, cependant, il n'est pas rare de voir un *yogī* se contenter d'une cuillerée de riz par jour.

Il n'est pas non plus possible de pratiquer le yoga de la méditation si l'on dort trop ou trop peu. Il n'existe pas de sommeil sans rêve, nous dit Kṛṣṇa. Quiconque dort est assuré de rêver, même s'il ne s'en souvient pas au réveil. Toutefois, Kṛṣṇa nous met en garde dans la *Bhagavad-gītā* en disant que celui qui rêve trop en dormant ne peut pas pratiquer convenablement le yoga. En fait, il ne faudrait pas dormir plus de six heures par jour. Il n'est pas non plus question de pratiquer le yoga avec succès si l'on souffre d'insomnie, car le corps doit être maintenu en bonne santé. Ainsi Kṛṣṇa donne-t-Il un aperçu des nombreuses exigences requises pour discipliner le corps. Toutes ces exigences peuvent cependant être ramenées à quatre règles de base : pas de rapports sexuels illicites, pas de substances excitantes ou enivrantes, pas de consommation de chair animale et pas de jeux de hasard. Ce sont là les quatre règles minimales indispensables à la pratique du yoga sous n'importe laquelle de ses formes.

Or en cet âge, qui peut se garder de ces mauvaises habitudes ? C'est pourtant sur cette base que nous devons nous évaluer de façon à déterminer nos progrès sur la voie du yoga.

yogī yuñjīta satatam ātmānaṁ rahasi sthitaḥ
ekākī yata-cittātmā nirāśīr aparigrahaḥ

« Le spiritualiste doit se vouer corps et âme au Suprême. Il lui faut vivre en un lieu solitaire, toujours rester maître de son mental, et s'affranchir de tout désir et de tout sentiment de possession. » (*Gītā* 6.10) Ce verset nous permet de comprendre qu'il est du devoir du *yogī* de toujours vivre dans la solitude. Le yoga de la méditation ne peut être pratiqué au milieu d'autres gens, du moins pas selon la *Bhagavad-gītā*. À moins de vivre dans un lieu retiré, il est impossible de fixer le mental sur l'Âme Suprême. En Inde, il existe encore de nombreux *yogīs* qui se réunissent pour la Kumba Melā. Ils vivent généralement en solitaires, mais en de rares occasions, il leur arrive de participer à des célébrations spéciales. Il y a encore des milliers de sages et de *yogīs* en Inde, et tous les douze ans environ, ils se réunissent en certains lieux saints, comme Allahabad, au même titre que les hommes d'affaires américains se rencontrent lors de conventions périodiques. En plus de vivre dans un lieu retiré, le *yogī* doit rester libre de tout désir, et sa pratique du yoga ne doit pas viser l'obtention de pouvoirs matériels. Il ne doit pas non plus accepter de cadeaux ou de faveurs des gens. S'il veut pratiquer le yoga comme il se doit, il lui faut vivre dans la jungle, dans la forêt ou dans les montagnes, et se tenir complètement à l'écart de la société. Il doit se souvenir à tout moment, et avec conviction, de Celui pour qui il est devenu un *yogī*. Il ne se considère toutefois jamais seul, car le Paramātmā, l'Âme Suprême, Se trouve à tout moment à ses côtés. Nous pouvons ainsi voir qu'il est effectivement très difficile de pratiquer cette forme de yoga dans le contexte de la civilisation moderne. En fait, la civilisation contemporaine, dans l'âge de Kali, ne nous permet pas de vivre entièrement seul, libre de tout désir et de toute possession.

Kṛṣṇa explique encore plus en détail à Arjuna la pratique du yoga de la méditation :

śucau deśe pratiṣṭhāpya sthiram āsanam ātmanaḥ
nāty-ucchritaṁ nāti-nīcaṁ cailājina-kuśottaram

tatraikāgraṁ manaḥ kṛtvā yata-cittendriya-kriyaḥ
upaviśyāsane yuñjyād yogam ātma-viśuddhaye

« En un lieu saint et retiré, il doit confectionner un siège d'herbe kuśa qui ne soit ni trop haut ni trop bas, puis le recouvrir d'une peau de daim et d'une étoffe douce. Là, il doit prendre une assise ferme et pratiquer le yoga pour purifier son cœur, en contrôlant son mental, ses sens et ses actes, et en fixant ses pensées sur un point unique. » (*Gītā* 6.11–12) Les *yogīs* s'assoient généralement sur des peaux de tigre ou de daim, sachant que les reptiles n'oseront pas s'y aventurer pour troubler leur méditation. Il apparaît que dans la création de Dieu, tout a une utilité. Chaque espèce d'herbe et de plante a son utilité propre, même si nous ne la connaissons pas précisément. Ainsi donc, Kṛṣṇa a inclus dans la *Bhagavad-gītā* une indication permettant au *yogī* de ne pas se soucier des serpents. Après avoir pris place sur un siège approprié dans un endroit retiré, le *yogī* doit entreprendre de purifier l'*ātmā* (le corps, le mental et l'âme). Il ne doit pas se mettre à penser qu'il va obtenir des pouvoirs extraordinaires. Il arrive naturellement que les *yogīs* obtiennent certains pouvoirs (*siddhis*), mais ce n'est pas là le but du yoga, et les vrais *yogīs* n'en font pas étalage. Le véritable *yogī* pense plutôt : « Je suis maintenant souillé par l'atmosphère matérielle qui m'entoure ; je dois donc me purifier. » Nous pouvons rapidement constater qu'il n'est pas si facile de maîtriser le corps et le mental, et que l'exercice est beaucoup plus exigeant que de se rendre au magasin pour y faire un achat. Mais Kṛṣṇa indique que toutes ces règles peuvent être observées sans mal par celui qui s'établit dans la conscience de Kṛṣṇa.

Il va sans dire que tout le monde est stimulé par la sexualité, ce qui n'est pas condamnable en soi. Nous avons un corps matériel, et tant que nous l'aurons, nous serons enclins aux désirs de la chair. De même, aussi longtemps que nous aurons un corps, nous devrons manger pour le soutenir, et nous devrons dormir pour le reposer. Il ne s'agit pas de croire que nous pouvons nier ces activités. Mais les Écritures védiques nous fournissent des indications sur la façon d'ordonner nos habitudes en ce qui a trait à l'alimentation, au sommeil, à la reproduction, etc. Si nous voulons un tant soit peu réussir dans la pratique du yoga, nous devons empêcher nos sens débridés de céder aux sollicitations des objets sensoriels. C'est pour cette raison qu'il existe des règles et que Śrī Kṛṣṇa affirme que le mental peut être contrôlé à l'aide de principes régulateurs. Si nous ne soumettons pas nos activités à des règles précises, notre esprit deviendra de plus en plus troublé. Il n'est pas question de cesser toutes activités, mais plutôt de les réglementer en absorbant constamment son esprit dans la conscience de Kṛṣṇa. Le fait d'être toujours engagé dans une activité en rapport avec Kṛṣṇa constitue le véritable *samādhi*. Non pas que lorsqu'on est en *samādhi* on cesse de manger, de travailler, de dormir ou de jouir de la vie. Le *samādhi* se définit plutôt par l'accomplissement d'activités ordonnées tout en s'absorbant dans la pensée de Kṛṣṇa.

Kṛṣṇa poursuit en disant :

asaṁyatātmanā yogo duṣprāpa iti me matiḥ

Il est malaisé pour qui n'a pas maîtrisé son mental de parvenir à la réalisation spirituelle (*Gītā* 6.36). Tout le monde sait qu'il est dangereux de monter un cheval sans rênes. Il peut se lancer dans n'importe quelle direction au grand galop, et le cavalier risque fort d'en pâtir. Dans le même ordre d'idée, Kṛṣṇa reconnaît avec Arjuna que lorsque le mental n'est pas maîtrisé, il est très difficile de pratiquer le yoga. Il ajoute cependant :

vaśyātmanā tu yatatā śakyo 'vāptum upāyataḥ

« En revanche, la réussite est assurée pour qui le domine par des moyens appropriés. Telle est Ma pensée. » (*Gītā* 6.36) Que veut-Il dire lorsqu'Il parle de « moyens appropriés » ? Tout simplement qu'il faut s'efforcer d'observer les quatre principes régulateurs de base définis précédemment, et d'accomplir ses activités dans la conscience de Kṛṣṇa.

Si quelqu'un choisit de pratiquer le yoga chez lui, il doit s'assurer que ses autres occupations ne l'accaparent pas trop. Il ne peut pas, par exemple, passer de longues heures à travailler à seule fin de gagner son pain. Il doit au contraire travailler avec beaucoup de modération, tout comme il doit se nourrir et satisfaire ses sens avec beaucoup de modération, tout en restant le plus possible à l'abri des soucis. Ainsi seulement la pratique du yoga peut-elle être fructueuse.

Comment reconnaît-on celui qui a atteint la perfection du yoga ? Kṛṣṇa déclare qu'on est établi dans le yoga lorsqu'on maîtrise parfaitement ses états de conscience.

yadā viniyataṁ cittam ātmany evāvatiṣṭhate
nispṛhaḥ sarva-kāmebhyo yukta ity ucyate tadā

« On dit que le *yogī* est fixé dans le yoga quand il a su, par cette pratique, régler les activités de son mental et atteindre un niveau transcendantal où les désirs matériels n'ont plus de prise. » (*Gītā* 6.18) Celui qui s'est établi dans le yoga ne subit plus les dictées de son mental, mais le maîtrise au contraire parfaitement. Il ne s'agit nullement d'étouffer le mental, car la tâche du *yogī* consiste précisément à toujours penser à Kṛṣṇa, ou Viṣṇu. Le *yogī* ne peut donc pas mettre son mental à l'écart. Le défi semble de taille, mais il est possible de le relever dans la conscience de Kṛṣṇa. En effet, lorsqu'on s'absorbe dans la conscience de Kṛṣṇa, dans le service de Kṛṣṇa, comment le mental pourrait-il s'écarter de Kṛṣṇa ? Lorsqu'il est engagé au service de Kṛṣṇa, le mental est automatiquement maîtrisé.

Il est également important pour le *yogī* de n'entretenir aucun désir de jouissance matérielle. Lorsqu'on est habité par la conscience de Kṛṣṇa, on n'a plus aucun désir en dehors de Kṛṣṇa. Il n'est en effet pas possible d'oblitérer tous les désirs ; nos désirs de jouissance sensorielle doivent donc être subjugués grâce au processus de la purification, tandis que le désir de Kṛṣṇa doit être cultivé. Il s'agit tout simplement de modifier l'objet de nos désirs. Il n'est pas question de tuer le désir, car il nous accompagne toujours, que nous le voulions ou non. La conscience de Kṛṣṇa consiste tout simplement à purifier nos désirs. Plutôt que de convoiter mille et un objets de plaisir matériel, nous devons rechercher tout ce qui est utile au service de Kṛṣṇa. Si, par exemple, nous désirons nous délecter de mets savoureux, au lieu de cuisiner pour nous-mêmes, nous pouvons le faire pour Kṛṣṇa et Lui offrir les plats que nous préparons. Le geste reste le même, mais la conscience fait l'objet d'un transfert significatif : plutôt que d'agir pour la satisfaction de nos sens, nous tournons nos pensées vers le plaisir de Kṛṣṇa. Nous pouvons préparer des mets à base de laitages, de légumes, de céréales, de fruits et d'autres aliments végétariens pour ensuite les offrir à Kṛṣṇa à l'aide de la prière suivante : « Ce corps matériel est un lieu d'ignorance et les sens sont un réseau de chemins qui nous mènent à la mort. Nous voilà tombés dans l'océan des plaisirs matériels, et de tous les sens, la langue est le plus vorace et le plus incontrôlable. Il est très difficile, en ce monde, de maîtriser les impulsions de la langue. Mais Kṛṣṇa dans Sa miséricorde, nous a donné ce délicieux *prasāda* à seule fin de nous permettre de dominer les élans de la langue. Prenons donc ce *prasāda* à satiété, glorifions Leurs Seigneuries Śrī Śrī Rādhā et Kṛṣṇa, et avec amour, implorons l'aide de Śrī Caitanya et de Śrī Nityānanda. » Notre karma se trouve ainsi sacrifié, car dès le départ, nous méditons sur le fait que la nourriture que nous préparons sera offerte à Kṛṣṇa. Nous devons supprimer tout désir personnel à l'égard des plats que nous cuisinons. Par contre, Kṛṣṇa est si bon qu'Il nous laisse ce que nous Lui offrons pour que nous puissions nous en nourrir. Ce qui fait que notre désir est comblé de toute façon. Lorsque quelqu'un modèle ainsi sa vie – en reliant ses désirs à ceux de Kṛṣṇa – il faut savoir qu'il a atteint la perfection du yoga. La simple pratique d'exercices respiratoires et de postures ne peut être qualifiée de yoga selon les termes de la *Bhagavad-gītā ;* une purification globale de la conscience s'impose.

Pour pratiquer le yoga, il est très important que le mental ne soit pas perturbé.

yathā dīpo nivāta-stho neṅgate sopamā smṛtā
yogino yata-cittasya yuñjato yogam ātmanaḥ

« Semblable à la flamme qui à l'abri du vent ne vacille pas, le yogī maître de son mental est ferme dans sa méditation sur l'Être transcendant. » (*Gītā* 6.19) Lorsqu'on place une bougie à l'abri du vent, sa flamme reste bien droite, sans aucune oscillation. Or, le mental, tout comme la flamme, est exposé à tant de perturbations, sous forme de désirs matériels, qu'il est diverti à la moindre agitation. Le plus faible mouvement du mental peut affecter toute la conscience. C'est pour cette raison qu'en Inde, ceux qui pratiquent sérieusement le yoga demeurent traditionnellement célibataires (*brahmacārīs*). Il existe deux types de *brahmacārīs :* celui qui fait vœu d'abstinence totale, et celui qu'on qualifie de *gṛhastha-brahmacārī,* signifiant qu'il a une épouse, qu'il n'a de rapports avec aucune autre femme, et que les rapports qu'il entretient avec sa compagne sont soumis à des règles précises. De cette façon, que ce soit par l'abstinence totale ou par une vie sexuelle restreinte, on favorise la paix de l'esprit. Il arrive toutefois que même ceux qui ont fait vœu de chasteté soient troublés par des désirs charnels; c'est pourquoi en Inde, ceux qui pratiquent le yoga traditionnel en faisant vœu d'abstinence ne se tiennent seuls auprès d'aucune femme, fût-ce leur mère, leur sœur ou leur fille. Le mental est en effet si fragile que la moindre suggestion peut engendrer le chaos.

Le *yogī* doit apprendre à dresser son mental de telle sorte qu'au moindre écart de sa méditation sur Viṣṇu, il le rappelle aussitôt à l'ordre. Or, cela demande beaucoup de pratique. Il faut acquérir la conviction que le vrai bonheur réside dans la satisfaction de ses sens spirituels, par opposition à celle de ses sens matériels. Il n'est pas question de faire taire nos sens, pas plus que nos désirs, car les désirs et la satisfaction des sens ont une contrepartie spirituelle. Le véritable bonheur transcende en effet la satisfaction matérielle des sens. Néanmoins, tant que cette conviction nous fait défaut, nous pouvons être certains d'être tentés et de succomber aux tentations. Il est donc important de savoir que le bonheur qu'on poursuit à travers les sens matériels est une chimère.

On peut dire que les vrais *yogīs* jouissent réellement de la vie, mais comment? *Ramante yogino 'nante* – leur plaisir est sans limites et constitue le véritable bonheur, un bonheur qui n'est pas matériel mais spirituel. Tel est le sens profond du mot Rāma, tel qu'on le retrouve dans le mantra Hare Kṛṣṇa, Hare Rāma : le plaisir, la satisfaction qu'on retire de la vie spirituelle. La vie spirituelle est toute de joie, à l'image de Kṛṣṇa Lui-même. Nous n'avons pas à sacrifier le plaisir, mais nous devons apprendre à en jouir comme il se doit. Un homme malade ne peut pas profiter normalement de la vie ; son bonheur demeure factice. Il ne pourra pleinement goûter les douceurs de la vie que lorsqu'il aura retrouvé la santé. De la même façon, tant que nous entretenons une conception matérielle de l'existence, nous ne parvenons pas réellement à jouir de la vie ; nous ne réussissons qu'à nous empêtrer toujours davantage dans les méandres de la nature matérielle. Si un malade n'est pas censé manger et qu'il mange tout de même sans restriction, il en mourra. Pareillement, plus nous cherchons à multiplier les plaisirs matériels, plus nous nous enlisons en ce monde, et plus il devient difficile d'échapper à notre prison matérielle. Toutes les formes de yoga sont destinées à démêler l'enchevêtrement des liens qui emprisonnent l'âme conditionnée, à la détourner des faux plaisirs que procurent les objets matériels pour l'orienter vers le véritable bonheur qu'engendre la conscience de Kṛṣṇa. Śrī Kṛṣṇa explique :

yatroparamate cittaṁ niruddhaṁ yoga-sevayā
yatra caivātmanātmānaṁ paśyann ātmani tuṣyati

sukham ātyantikaṁ yat tad buddhi-grāhyam atīndriyam
vetti yatra na caivāyaṁ sthitaś calati tattvataḥ

yaṁ labdhvā cāparaṁ lābhaṁ manyate nādhikaṁ tataḥ
yasmin sthito na duḥkhena guruṇāpi vicālyate

taṁ vidyād duḥkha-saṁyoga- viyogaṁ yoga-saṁjñitam

« Celui qui par la pratique du yoga parvient à soustraire son mental de toute activité matérielle connaît le niveau de perfection qu'on appelle *samādhi*, ou extase méditative. Cet état se caractérise par la faculté de percevoir l'Être Suprême avec un mental pur et de trouver la joie en Lui. Ainsi, à travers ses sens purifiés, il se trouve constamment immergé dans un bonheur transcendantal infini. Cette perfection atteinte, il ne s'écartera plus de la vérité, sachant que rien n'est plus précieux. Imperturbable, même au cœur des pires difficultés, il se libère définitivement des souffrances nées du contact avec la matière. » (*Gītā* 6.20–23)

Un type de yoga peut s'avérer ardu alors qu'un autre peut être plus facile, mais dans tous les cas, il est nécessaire de purifier son existence pour s'éveiller au bonheur spirituel dans la conscience de Kṛṣṇa. Alors seulement pourrons-nous être heureux.

yadā hi nendriyārtheṣu na karmasv anuṣajjate
sarva-saṅkalpa-sannyāsī yogārūḍhas tadocyate

uddhared ātmanātmānaṁ nātmānam avasādayet
ātmaiva hy ātmano bandhur ātmaiva ripur ātmanaḥ

« On considère avancé dans la pratique du yoga celui qui a renoncé à tout désir matériel et qui n'agit plus, ni pour le plaisir des sens ni pour tirer profit de ses actes. Le mental peut être l'ami de l'âme conditionnée, mais il peut aussi être son ennemi. L'homme doit s'en servir pour se libérer, non pour se dégrader. » (*Gītā* 6.4–5) Nous devons nous élever au niveau spirituel par nos propres efforts. En ce sens, je peux aussi bien être mon propre ami que mon propre ennemi ; le choix est mien. Cāṇakya Paṇḍita a écrit à ce propos une maxime révélatrice : « Personne n'est à priori l'ami ni l'ennemi de quiconque. C'est à leur comportement qu'on reconnaît ses amis et ses ennemis. » Personne ne naît l'ami ou l'ennemi de qui que ce soit ; ces rôles sont définis en fonction du comportement des êtres entre eux. Et de même que nous entretenons des rapports avec autrui dans le cours de nos activités quotidiennes, chaque être entretient également des rapports avec lui-même. Je peux donc agir envers moi-même tel un ami ou un ennemi. Si je veux être un ami pour moi-même, je dois m'efforcer de comprendre que je suis une âme spirituelle, que pour une raison ou une autre je suis entré en contact avec la nature matérielle, et qu'il me faut échapper aux filets qui me retiennent prisonnier de la matière en agissant de façon à en défaire les nœuds. Dans ce cas, je peux dire que je suis véritablement un ami pour moi-même. Autrement, si je ne saisis pas l'occasion de prendre conscience de ces choses lorsqu'elles se présentent à moi, je dois me considérer comme mon pire ennemi.

bandhur ātmātmanas tasya yenātmaivātmanā jitaḥ
anātmanas tu śatrutve vartetātmaiva śatru-vat

« Pour qui l'a maîtrisé, le mental est le meilleur ami. Mais pour qui a échoué, il reste le pire ennemi. » (*Gītā* 6.6) Comment peut-on devenir son propre ami ? Nous en avons ici l'explication. Le mot *ātmā* sert à désigner tantôt le corps, tantôt le mental et tantôt l'âme. Lorsque notre conscience se limite au corps, *ātmā* ne désigne que le corps. Quand nous transcendons le plan physique et que nous nous élevons au niveau de l'esprit, alors c'est le mental qu'*ātmā* désigne. Mais lorsque nous nous établissons au niveau purement spirituel, *ātmā* fait référence à l'âme, ce que nous sommes en réalité. Ainsi, selon notre niveau d'évolution spirituelle, le mot *ātmā* change de sens pour nous. Selon le dictionnaire védique, le *Nirukti, ātmā* peut aussi bien désigner le corps que le mental ou l'âme ; mais dans ce verset de la *Bhagavad-gītā,* il fait référence au mental.

Si, par la pratique du yoga, on réussit à éduquer le

Śrī Śrīmad
A. C. Bhaktivedanta Swami Prabhupāda
Acharya-fondateur de l'International Society for Krishna Consciousness

Après avoir écouté la *Bhagavad-gītā* de la bouche de Śrī Kṛṣṇa, Arjuna abandonna ses doutes et engagea la bataille.

Se souvenir de Kṛṣṇa est l'essence de toutes les formes de yoga.

Le Royaume de Kṛṣṇa n'est pas sans vie, on y pratique diverses activités.

L'Âme Suprême réside dans le cœur de tous les êtres vivants.

Śrī Kṛṣṇa, Dieu, la Personne Suprême

On peut aimer le Seigneur Suprême en tant que Son serviteur, Son ami ou Son parent.

La conscience de Kṛṣṇa est le yoga ultime qui nous lie
à Śrī Kṛṣṇa, Dieu, la Personne Suprême.

mental, il devient un allié. Par contre, lorsqu'on le laisse à lui-même, on perd toute possibilité de mener une existence fructueuse. Pour celui qui n'a aucune conception de la vie spirituelle, le mental est un véritable ennemi. Lorsque quelqu'un s'identifie à son corps, son mental n'agit pas dans son intérêt ; il n'agit qu'au service du corps grossier, contribuant ainsi à conditionner davantage l'être vivant et à l'empêtrer toujours un peu plus dans les filets de la nature matérielle. À l'opposé, lorsqu'on prend conscience de sa nature véritable, en tant qu'âme spirituelle distincte du corps, le mental peut devenir un instrument libérateur. Le mental en soi n'a pas de responsabilité particulière ; il attend simplement d'être formé, et c'est par association qu'il se forme le mieux. La fonction du mental est de désirer, et nos désirs sont déterminés par notre entourage. Si donc nous voulons que notre mental agisse en ami envers nous, nous devons surveiller nos fréquentations.

La meilleure compagnie est celle du *sādhu*, d'une personne consciente de Kṛṣṇa ou s'efforçant de progresser sur la voie spirituelle. Les autres, au contraire, ne vivent que pour des valeurs temporaires (*asat*). La matière et le corps étant de nature temporaire, si quelqu'un n'agit qu'en vue de procurer des plaisirs à son corps, il est forcément conditionné par ces valeurs temporaires. Il lui suffit cependant de s'engager sur la voie de la réalisation spirituelle pour se dédier à ce qui est permanent (*sat*). De toute évidence, l'homme intelligent recherchera donc la compagnie de ceux qui s'efforcent de s'élever au niveau de la réalisation spirituelle par la pratique d'une des nombreuses formes de yoga. Les *sādhus*, les âmes réalisées, pourront alors trancher net son attachement à la matière et aux matérialistes. Tel est l'avantage inestimable des bonnes fréquentations.

Kṛṣṇa, par exemple, n'expose la *Bhagavad-gītā* à Arjuna que pour rompre ses attachements matériels. Arjuna subit l'attrait de divers éléments qui font obstacle à l'exécution de son devoir propre, et Kṛṣṇa les taille en pièces. Lorsqu'on désire couper quelque chose, il faut un instrument tranchant ; et pour couper le mental de ses attachements, il est parfois nécessaire d'utiliser des mots tranchants. Aussi le *sādhu,* ou le maître spirituel, se montre-t-il sans merci lorsqu'il devient nécessaire d'avoir recours à des paroles coupantes pour séparer le mental du disciple de ses engouements matériels. En exposant la vérité sans faire de compromis, il a en effet le pouvoir de mettre fin à l'asservissement à la matière. En guise d'exemple, Kṛṣṇa parle durement à Arjuna au début de la *Bhagavad-gītā* lorsqu'Il lui dit qu'en dépit de ses savants discours, il n'est en fait qu'un sot. Si nous voulons vraiment nous détacher du monde matériel, nous devons être prêts à accepter les propos tranchants que le maître spirituel peut parfois nous tenir. Les compromis et la flatterie n'ont aucun effet là où la force s'impose.

La *Bhagavad-gītā* condamne à maintes reprises la conception matérielle de l'existence. On compare à un âne celui qui considère son pays natal comme un objet de vénération, ou qui se rend dans les lieux saints sans porter d'intérêt aux *sādhus* qui s'y trouvent. Et de même qu'un ennemi ne pense qu'à faire du mal, le mental indiscipliné ne peut que nous entraîner de plus en plus profondément dans les méandres de la matière. Les âmes conditionnées sont constamment aux prises avec le mental et les autres sens. Or, puisque le mental dirige les sens, il est de la plus haute importance de s'en faire un ami.

jitātmanaḥ praśāntasya paramātmā samāhitaḥ
śītoṣṇa-sukha-duḥkheṣu tathā mānāpamānayoḥ

« Celui qui est serein parce qu'il a conquis son mental a déjà atteint l'Âme Suprême. Il voit d'un œil égal la joie et la peine, la chaleur et le froid, la gloire et l'opprobre. » (*Gītā* 6.7)

En dressant le mental, on accède à la paix, car sinon, il ne cesse de nous entraîner vers des objets dénués de toute durabilité, au même titre qu'un cheval débridé entraînera le char qu'il tire dans une course périlleuse. Bien que nous soyons de nature permanente, éternelle, nous nous sommes attachés à des valeurs éphémères. Le mental peut cependant être facilement dompté ; il suffit pour cela que nous le fixions sur Kṛṣṇa. De la même façon qu'un fort est en sécurité lorsqu'il est défendu par un grand général, si l'on intronise Kṛṣṇa dans le fort du mental, aucun ennemi ne pourra y pénétrer. L'éducation matérielle, la richesse et le pouvoir ne nous sont d'aucun secours pour maîtriser le mental. Aussi, un grand *bhakta* a-t-il fait cette prière : « Quand pourrai-je enfin penser à Kṛṣṇa de façon constante ? Mon mental m'entraîne dans toutes les directions, mais aussitôt que je parviens à le fixer sur les pieds pareils-au-lotus du Seigneur, il devient clair et limpide. » Lorsque notre esprit est clair, nous sommes capables de méditer sur l'Âme Suprême. Le Paramātmā, ou l'Âme Suprême, siège toujours aux côtés de l'âme individuelle, dans le cœur de l'homme, et le yoga lui permet de se concentrer et de faire converger son esprit vers le Paramātmā présent dans son cœur. Le verset de la *Bhagavad-gītā* cité précédemment indique clairement que celui qui parvient à vaincre le mental et à surmonter tout attachement aux choses éphémères devient en mesure de s'absorber dans la pensée du Paramātmā. Et en conséquence, il s'affranchit de toute dualité et de toute dénomination artificielle.

CHAPITRE CINQ

S'affranchir de la dualité par le yoga

L'UNIVERS MATÉRIEL est un monde de dualités. Nous sommes tour à tour exposés aux chaleurs estivales et aux froids hivernaux ; le malheur fait suite aux instants de bonheur et les heures de gloire doivent tôt ou tard céder la place à l'opprobre. Dans ce monde de dualités, il est impossible de comprendre une chose sans comprendre son opposé. Impossible, par exemple, de comprendre ce qu'est l'honneur sans comprendre ce qu'est le déshonneur. Je ne peux pas non plus comprendre ce qu'est le malheur si je n'ai jamais fait l'expérience du bonheur, et vice versa. Il nous faut transcender ces dualités, mais aussi longtemps que nous aurons un corps, elles se présenteront. Tout en nous efforçant d'échapper à l'identification au corps – je dis bien à l'identification au corps, et non pas au corps lui-même – nous devons apprendre à tolérer ces dualités. Dans le second chapitre de la *Bhagavad-gītā*, Kṛṣṇa informe Arjuna que la dualité opposant le bonheur au malheur n'est due qu'au corps. Cette dualité ressemble en quelque sorte à une maladie de peau, à une démangeaison. Ce n'est pas parce qu'on a une démangeaison qu'on doit se gratter comme un fou jusqu'au sang ; nous ne devons pas devenir hystérique et abandonner notre travail parce que quelques moustiques nous ont piqué. Il y a tellement de dualités que nous devons tolérer et pourtant, si nous établissons fermement notre mental dans la conscience de Kṛṣṇa, toutes ces dualités nous sembleront insignifiantes.

Comment faire pour tolérer ces dualités ?

jñāna-vijñāna-tṛptātmā kūṭa-stho vijitendriyaḥ
yukta ity ucyate yogī sama-loṣṭrāśma-kāñcanaḥ

« Qui est pleinement satisfait par la connaissance et la réalisation du savoir est un *yogī*, une âme réalisée. Ayant atteint le niveau transcendantal et la maîtrise de soi, il ne fait pas de différence entre la motte de terre, la pierre ou l'or. » (*Gītā* 6.8) Le mot *jñāna* désigne la connaissance théorique, alors que *vijñāna* fait référence à la connaissance pratique. En guise d'exemple, un étudiant en sciences doit à la fois se familiariser avec des concepts théoriques et avec des applications scientifiques concrètes. La connaissance théorique ne suffit pas ; il faut également pouvoir appliquer cette connaissance. Il en va de même pour le yoga. La connaissance théorique de ses principes doit s'accompagner d'une connaissance pratique de ses mécanismes. Le fait de savoir que je suis distinct de mon corps ne me sera d'aucun secours si je persiste à agir de façon absurde. Il existe ainsi de nombreuses sociétés dont les membres discutent sérieusement de la philosophie du Vedānta tout en fumant, en buvant et en jouissant des plaisirs de la chair. La connaissance théorique seule ne nous aide en rien ; cette connaissance doit faire l'objet d'une démonstration tangible. Celui qui se sait effectivement distinct de son corps ne manquera pas de réduire au minimum les exigences de ce dernier. Si l'on ne fait qu'accroître les besoins du corps tout en se disant « je ne suis pas ce corps », à quoi nous sert cette connaissance ? On ne peut être satisfait que lorsque le *jñāna* et le *vijñāna* vont côte à côte.

Celui qui réalise concrètement son identité spirituelle

doit être considéré comme le vrai *yogī*. Il ne s'agit pas de suivre des cours de yoga toute sa vie sans jamais changer de comportement ; les connaissances acquises doivent entraîner une réalisation tangible. Et quel est le signe d'une telle réalisation ? Le mental doit devenir paisible et serein, et ne plus être troublé par l'attrait qu'exerce le monde de la matière. Lorsqu'on possède une telle maîtrise de soi, on ne succombe plus aux charmes flamboyants de la matière, et on voit tout d'un œil égal, qu'il s'agisse d'une simple motte de terre, d'une pierre ou d'or. La civilisation matérialiste produit mille et un objets destinés à combler nos sens en brandissant la bannière du progrès. Mais celui qui est établi dans le yoga n'accorde pas plus d'importance à tous ces objets qu'aux ordures jetées à la rue. Qui plus est :

suhṛn-mitrāry-udāsīna- madhyastha-dveṣya-bandhuṣu
sādhuṣv api ca pāpeṣu sama-buddhir viśiṣyate

« Mais qui voit d'un même œil le bienveillant par nature ou par sentiment et l'envieux, celui qui toujours reste neutre et celui qui agit dans un esprit de conciliation, l'ami et l'ennemi, le vertueux et le pécheur, est spirituellement plus élevé encore. » (*Gītā* 6.9) On compte diverses sortes d'amis. Il y a le *suhṛt*, celui qui, de nature bienveillante, souhaite toujours le bien d'autrui ; il y a le *mitra*, ou l'ami ordinaire, mais aussi l'*udāsīna*, qui reste neutre. Quelqu'un peut en effet, en ce monde, être un véritable bienfaiteur pour moi, un simple ami, ou encore ne manifester ni amitié ni inimitié particulière à mon endroit. Quelqu'un peut également servir de médiateur impartial entre mes ennemis et moi : c'est le *madhyastha* de ce verset. On peut aussi considérer quelqu'un comme étant vertueux ou impie, selon son propre jugement. Mais lorsqu'on s'établit dans la Transcendance, toutes ces dénominations d'ami, d'ennemi ou autre tombent automatiquement. En accédant véritablement au savoir, on cesse de considérer les gens comme ses amis ou ses ennemis, conscient de ce qu'en réalité personne n'est vraiment « mon ami » ou « mon ennemi », « mon père » ou « ma mère », etc. Nous ne sommes tous que des êtres vivants jouant sur une scène le rôle d'un père, d'une mère, d'un enfant, d'un ami, d'un ennemi, d'un pécheur ou d'un saint. C'est comme si nous participions à une grande représentation théâtrale avec d'innombrables acteurs jouant chacun un personnage différent. Il arrive que sur scène certains des personnages soient amis ou ennemis, mais la pièce terminée, tous les acteurs se retrouvent camarades.

De la même façon, chacun de nous joue un rôle sur la scène de la nature matérielle, selon le corps que nous avons revêtu, et nous nous collons mutuellement diverses étiquettes. Je peux ainsi penser qu'untel est mon fils, alors qu'en réalité je n'ai pas le pouvoir d'engendrer un fils. C'est hors de ma portée. Je peux tout au plus engendrer un corps. Aucun humain n'est en mesure de produire un être vivant. De simples rapports sexuels ne peuvent en effet donner naissance à un être vivant ; celui-ci doit être « placé » dans l'émulsion des sécrétions mâles et femelles. Tel est le verdict du *Śrīmad-Bhāgavatam*. Toutes les relations échangées entre les êtres sur la base du corps ne sont donc que jeux de scène. Et l'âme véritablement réalisée, ayant réellement atteint la perfection du yoga, ne voit plus ces distinctions corporelles.

CHAPITRE SIX

Le sort du yogī qui n'atteint pas son but

IL NE FAUDRAIT pas croire que la *Bhagavad-gītā* rejette le yoga de la méditation ; elle en reconnaît tout à fait l'authenticité, mais en précisant que sa pratique est impossible à l'époque où nous vivons. C'est pourquoi Śrī Kṛṣṇa et Arjuna coupent court au sujet abordé dans le sixième chapitre de la *Bhagavad-gītā*. Arjuna demande alors :

ayatiḥ śraddhayopeto yogāc calita-mānasaḥ
aprāpya yoga-saṁsiddhiṁ kāṁ gatiṁ kṛṣṇa gacchati

« Arjuna dit : Ô Kṛṣṇa, quel est le destin du spiritualiste qui, bien qu'il ait emprunté avec foi la voie du yoga, l'abandonne pour n'avoir su détacher son mental du monde, et qui, par suite, n'atteint pas la perfection mystique ? » (*Gītā* 6.37) En d'autres mots, il veut savoir ce qui arrive au *yogī* qui échoue dans sa démarche, c'est-à-dire celui qui essaie de pratiquer le yoga mais qui abandonne avant d'atteindre son but, un phénomène qui peut se comparer à l'attitude de l'étudiant qui abandonne ses cours avant d'avoir obtenu son diplôme. Dans une autre section de la *Bhagavad- gītā*, Śrī Kṛṣṇa fait remarquer à Arjuna que parmi tous les humains, un faible pourcentage seulement aspire à la perfection, et que parmi eux, rares sont ceux qui l'atteignent. Arjuna s'interroge donc sur le sort de tous ceux qui échouent dans leur entreprise. Il souligne le fait que même si quelqu'un s'efforce avec foi d'atteindre la perfection du yoga, il se peut très bien que ses attachements matériels l'empêchent de parvenir à ses fins.

kaccin nobhaya-vibhraṣṭaś chinnābhram iva naśyati
apratiṣṭho mahā-bāho vimūḍho brahmaṇaḥ pathi

« Ainsi détourné du chemin de la spiritualité, ô Kṛṣṇa aux bras puissants, n'ayant obtenu ni succès matériel ni réussite spirituelle, ne périt-il pas, privé de tout statut, à la manière d'un nuage qui se dissipe ? » (*Gītā* 6.38) En effet, lorsqu'un nuage est déchiré par le vent, il ne se reforme pas.

etan me saṁśayaṁ kṛṣṇa chettum arhasy aśeṣataḥ
tvad-anyaḥ saṁśayasyāsya chettā na hy upapadyate

« Cela fait naître en moi un doute, ô Kṛṣṇa, et je Te prie de l'éclaircir car Tu es le seul qui puisse entièrement le dissiper. » (*Gītā* 6.39) Si Arjuna interroge ainsi Kṛṣṇa sur le sort du *yogī* qui n'atteint pas son objectif, c'est pour qu'à l'avenir les gens ne se découragent pas. Par *yogī,* Arjuna fait référence au *haṭha-yogī*, au *jñāna-yogī* et au *bhakti-yogī,* car la méditation ne représente pas la seule forme de yoga. Le méditant, le philosophe et le dévot doivent tous être considérés comme des *yogīs*. Arjuna formule donc sa question pour tous ceux qui s'efforcent de devenir des spiritualistes accomplis.

Et quelle réponse Śrī Kṛṣṇa lui donne-t-Il ?

śrī-bhagavān uvāca
pārtha naiveha nāmutra vināśas tasya vidyate
na hi kalyāṇa-kṛt kaścid durgatiṁ tāta gacchati

Dans ce verset, comme dans plusieurs autres passages de la *Bhagavad-gītā,* Śrī Kṛṣṇa est désigné sous le nom de Bhagavān, qui est un de Ses noms innombrables. Bhagavān caractérise Kṛṣṇa comme Celui qui possède dans leur plénitude les six formes de l'opulence, à savoir la beauté, la richesse, le pouvoir, la renommée, la connaissance et le renoncement. Les êtres vivants, quant à eux, ne possèdent ces atouts qu'en quantité limitée. On peut, par exemple, jouir d'une certaine renommée au sein d'une famille, dans une ville ou dans un pays, ou même sur une planète entière; mais personne n'est célèbre à travers l'ensemble de la création comme l'est Śrī Kṛṣṇa. Les personnalités marquantes du monde peuvent jouir de la célébrité pendant quelques années, alors que Śrī Kṛṣṇa est encore adoré cinq mille ans après Son passage sur terre. Ainsi, celui qui possède dans leur plénitude les six formes de l'opulence doit être tenu pour Dieu Lui-même. Dans la *Bhagavad-gītā,* Kṛṣṇa S'adresse donc à Arjuna en tant que Dieu, la Personne Suprême, et nous devons dès lors reconnaître qu'Il possède la connaissance totale. On sait que la *Bhagavad-gītā* fut énoncée au *deva* du soleil et à Arjuna par Kṛṣṇa, mais nulle part il n'est dit que la *Bhagavad-gītā* ait été transmise à Kṛṣṇa par qui que ce soit. Pourquoi? La connaissance totale implique la connaissance de tout ce qu'il y a à connaître, et Dieu est le seul à posséder cet attribut. Et puisque Kṛṣṇa sait tout, Arjuna Lui demande d'éclaircir le sort du *yogī* déchu. Arjuna n'a aucune possibilité de découvrir la vérité par lui-même. Il doit l'obtenir d'une source parfaite, ainsi que le préconise le système de la succession disciplique. Kṛṣṇa est complet en tout, et la connaissance qui vient de Lui est également complète. Or, si Arjuna reçoit cette connaissance complète de Kṛṣṇa et que nous la recevons à notre tour d'Arjuna, telle qu'elle lui a été énoncée, nous recevons nous-mêmes la connaissance parfaite. Et quelle est cette connaissance? « Dieu, la

Personne Suprême, répond : Ô fils de Pṛthā, pour le spiritualiste qui se prête à des activités de bon augure, il n'est de destruction ni dans ce monde, ni dans l'autre. Jamais, Mon ami, le mal ne s'empare de celui qui fait le bien. » (*Gītā* 6.40) Kṛṣṇa indique ici que le fait même de chercher à atteindre la perfection du yoga constitue en soi un effort des plus fastes, et celui qui se lance dans une entreprise aussi propice ne peut jamais être dégradé.

À vrai dire, c'est une question très pertinente et intelligente que soulève Arjuna. En effet, il n'est pas rare de voir quelqu'un abandonner la pratique du service de dévotion. Il arrive par exemple qu'un dévot néophyte ait du mal à respecter les principes régulateurs, et qu'il cède à l'attrait de l'intoxication ou du sexe opposé. Or, ce sont là des obstacles qui nous empêchent d'atteindre la perfection du yoga. Mais Śrī Kṛṣṇa répond à cette question de façon encourageante en disant à Arjuna que si quelqu'un parvient en toute sincérité à cultiver ne serait-ce que 1 % de la connaissance spirituelle, il ne retombera jamais dans le tourbillon de l'existence matérielle. Cette garantie lui vient de la sincérité de son effort. Nous ne devons jamais oublier que nous sommes faibles et que l'énergie matérielle est très puissante. En adoptant la vie spirituelle, on déclare ni plus ni moins la guerre à l'énergie matérielle. Or, celle-ci s'efforce tant qu'elle peut de retenir l'âme conditionnée dans ses griffes ; et lorsque l'âme conditionnée cherche à s'en arracher en cultivant le savoir spirituel, la nature matérielle redouble d'ardeur et d'intransigeance afin de mettre à l'épreuve la sincérité de l'aspirant spiritualiste. La nature matérielle, ou *māyā*, se montre alors sous un jour de plus en plus fascinant.

Notons à ce propos l'exemple de Viśvāmitra Muni, un très grand roi, un *kṣatriya* qui avait renoncé à son royaume pour adopter la pratique du yoga en vue de progresser davantage sur la voie spirituelle. À son époque, la pratique du yoga de la méditation était encore possible, et Viśvāmitra Muni s'y livra avec une détermination telle qu'Indra, le roi des sphères célestes, le remarqua et se prit à penser : « Cet homme cherche à me ravir mon poste. » Les planètes édéniques restent des planètes matérielles, et la compétition y règne comme partout ailleurs en ce monde – aucun homme d'affaires ou dirigeant ne veut être surpassé par un autre. Craignant donc que Viśvāmitra Muni ne le détrône, Indra dépêcha auprès de lui une courtisane céleste du nom de Menakā pour qu'elle l'envoûte de ses charmes. Il va sans dire que Menakā était d'une beauté remarquable, et elle avait la ferme intention de rompre la méditation du *muni.* Comme prévu, il prit conscience de cette présence féminine en entendant le tintement de ses bracelets de chevilles ; quittant sa méditation, il tourna son regard vers elle et fut captivé par sa beauté. De leur union naquit une ravissante fille du nom de Śakuntalā, et au moment de sa naissance, Viśvāmitra ne put que s'accabler : « Je voulais simplement cultiver le savoir spirituel, et voilà qu'à nouveau je suis retombé sous l'emprise de la matière. » Il s'apprêtait à prendre la fuite lorsque Menakā lui amena l'adorable enfant et se mit à le réprimander. Mais malgré ses supplications, Viśvāmitra résolut tout de même de s'en aller.

Si même un grand sage comme Viśvāmitra Muni a pu succomber aux charmes de la matière, il est certain que nous avons toutes les chances d'échouer en nous engageant sur la voie du yoga. Cependant, bien que le *muni* se soit momentanément écarté de la voie, il décida de poursuivre sa pratique du yoga, et nous devons faire preuve d'une détermination égale à la sienne. Kṛṣṇa nous dit que de telles défaillances ne doivent pas être sources de désespoir. Il existe un dicton célèbre, selon lequel la réussite se bâtit sur l'échec. Tout particulièrement dans la vie spirituelle, l'échec n'a rien de décourageant. Kṛṣṇa établit clairement que même en cas d'échec, nous ne perdons rien de notre acquis, ni en ce monde ni dans l'autre. Celui qui emprunte la voie propice du développement spirituel n'est donc jamais tout à fait vaincu.

Mais qu'arrive-t-il concrètement au spiritualiste qui n'atteint pas son but? Śrī Kṛṣṇa nous éclaire de façon précise sur son sort :

prāpya puṇya-kṛtāṁ lokān uṣitvā śāśvatīḥ samāḥ
śucīnāṁ śrīmatāṁ gehe yoga-bhraṣṭo 'bhijāyate

atha vā yoginām eva kule bhavati dhīmatām
etad dhi durlabhataraṁ loke janma yad īdṛśam

« Après avoir vécu de longues années de délices sur les planètes où vivent ceux qui ont fait le bien, celui qui a failli dans la voie du yoga renaît au sein d'une famille riche et noble, ou d'une famille vertueuse. Ou encore il renaît dans une famille de sages spiritualistes. Mais en vérité il est rare, ici-bas, d'obtenir une telle naissance. » (*Gītā* 6.41–42) Il existe de nombreuses planètes dans l'univers, et sur les planètes supérieures les conditions de vie sont plus agréables, la longévité plus grande, et les habitants plus vertueux et plus saints. Sachant que sur ces planètes un jour équivaut à six mois terrestres, on peut comprendre que le séjour du *yogī* déchu y est extrêmement long. Les Écritures védiques établissent en fait à dix mille ans la durée de l'existence sur ces planètes. Ainsi, même si l'on échoue, on sera promu sur ces planètes. Mais il n'est pas possible d'y rester indéfiniment. Lorsque les fruits ou les résultats de nos actes vertueux sont épuisés, nous devons revenir sur terre. Et pourtant, même lorsqu'il revient sur terre, le *yogī* ayant échoué dans sa démarche bénéficie de conditions favorables, car il renaît dans une famille vertueuse ou dans une famille riche. D'une manière générale, selon la loi du karma, si quelqu'un accomplit des actes pieux, il est récompensé dans sa vie suivante en obtenant de renaître dans une famille hautement aristocratique ou encore très riche, en devenant un grand érudit, ou en jouissant d'une grande beauté physique. Dans tous les cas, ceux qui approchent sincèrement la vie spirituelle ont l'assurance de renaître sous une forme humaine dans leur prochaine vie – et pas seulement sous une forme humaine, mais dans une famille très riche ou très vertueuse. Celui, donc, qui a obtenu une telle naissance doit comprendre que sa bonne fortune est due à ses actes vertueux passés et à la grâce de Dieu. Ces avantages nous sont en effet donnés par le Seigneur, qui est toujours prêt à nous fournir les moyens grâce auxquels nous pourrons L'atteindre. Kṛṣṇa veut simplement S'assurer de notre sincérité.

Dans le *Śrīmad-Bhāgavatam,* il est expliqué que chaque individu a un devoir propre à remplir, et ce, quelle que soit sa position ou ses appartenances sociales. Si toutefois, que ce soit par sentiment, par association, par folie ou pour quelque autre raison, on renonce à son devoir prescrit pour chercher refuge auprès de Kṛṣṇa, et que par manque de maturité on s'écarte ensuite de la voie dévotionnelle, on ne subira aucune perte. Par contre, si quelqu'un s'acquitte parfaitement de ses devoirs mais manque d'approcher Dieu, que peut-il gagner ? Sa vie ne lui rapporte en fait rien du tout. Celui qui approche Kṛṣṇa est donc mieux situé, même s'il lui arrive ensuite d'abandonner la pratique du yoga. Kṛṣṇa ajoute que de toutes les bonnes familles au sein desquelles on peut prendre naissance – celles de commerçants prospères, de philosophes ou de *yogīs* – la meilleure est celle d'un *yogī.* Celui qui voit le jour dans une famille très riche risque en effet de s'égarer. Il est normal pour l'homme ayant reçu de grandes richesses de chercher à en jouir ; c'est pourquoi les fils d'hommes riches deviennent souvent des ivrognes ou des coureurs de prostituées. Selon le même ordre d'idée, le fils d'un homme vertueux ou d'un *brāhmaṇa* devient souvent orgueilleux et infatué de sa personne, se targuant d'être un *brāhmaṇa* ou un homme de bien. Les familles riches et vertueuses présentent toutes deux un risque de dégradation, alors qu'en prenant naissance dans une famille de *yogīs* ou de *bhaktas*, on a de bien meilleures chances de poursuivre à nouveau la vie spirituelle qu'on a précédemment délaissée. Kṛṣṇa explique à Arjuna :

tatra taṁ buddhi-saṁyogaṁ labhate paurva-dehikam
yatate ca tato bhūyaḥ saṁsiddhau kuru-nandana

« Alors, ô fils de Kuru, il recouvre la conscience divine acquise dans sa vie passée et reprend sa marche vers la perfection. » (*Gītā* 6.43)

En voyant le jour dans une famille dont les membres pratiquent le yoga ou le service de dévotion, on se souvient des activités spirituelles qu'on a accomplies dans sa vie passée. Quiconque adopte sérieusement la conscience de Kṛṣṇa ne peut donc être une personne ordinaire; il doit avoir suivi cette voie au cours de sa vie précédente. Pourquoi ?

pūrvābhyāsena tenaiva hriyate hy avaśo 'pi saḥ

« En vertu de la conscience divine acquise dans sa vie passée, il est tout naturellement porté vers la pratique du yoga, même à son insu. Un tel spiritualiste transcende déjà tous les principes rituels des Écritures. » (*Gītā* 6.44) Dans l'univers matériel, nous savons par expérience que nous ne pouvons pas emporter nos biens avec nous lorsque nous passons d'une vie à l'autre. Même si j'ai des millions en banque, je perdrai tout en mourant. Mon argent ne m'accompagne pas par-delà la mort; il reste à la banque, et c'est quelqu'un d'autre qui en profitera. Il n'en va pas de même pour la vie spirituelle. Même si nos efforts spirituels sont minimes, nous en emportons les fruits avec nous, et dans notre prochaine vie nous reprenons notre progression là où nous l'avions laissée.

Lorsque nous repartons du point où nous nous étions interrompus, il est important de savoir que nous devons désormais compléter nos connaissances de manière à parfaire notre pratique du yoga. Nous ne devons pas courir le risque d'avoir à compléter notre démarche dans une vie ultérieure, mais prendre la décision d'en terminer dès cette vie. Notre détermination devrait s'exprimer en ces termes : « Pour une raison ou une autre, je n'ai pu compléter mon évolution spirituelle au cours de ma vie précédente. Śrī Kṛṣṇa m'offre maintenant une nouvelle occasion d'y parvenir ; puissé-je m'en saisir et atteindre mon but dans cette vie. » Alors, après avoir quitté notre corps actuel, nous n'aurons plus à renaître dans le monde matériel, où la naissance, la maladie, la vieillesse et la mort sont partout présentes ; nous retournerons enfin à Kṛṣṇa. Celui qui cherche refuge aux pieds pareils-au-lotus de Kṛṣṇa voit l'univers matériel comme un lieu de danger. En vérité, cet univers n'est pas fait pour ceux qui poursuivent la voie spirituelle. Śrīla Bhaktisiddhānta Sarasvatī avait l'habitude de dire : « Cet endroit ne convient pas à un gentilhomme. » Lorsqu'on approche Kṛṣṇa et qu'on s'efforce de progresser spirituellement, Kṛṣṇa, qui est présent dans notre cœur, commence à nous guider personnellement. Il affirme par ailleurs dans la *Bhagavad-gītā* que lorsque quelqu'un désire se rappeler de Lui, Il lui accorde le souvenir, tout comme Il permet l'oubli à ceux qui désirent L'effacer de leur mémoire.

CHAPITRE SEPT

Rétablir notre lien avec Kṛṣṇa par le yoga

COMBIEN DE FOIS n'avons-nous pas entendu parler de yoga ? La pratique du yoga est sanctionnée par la *Bhagavad-gītā,* mais le type de yoga qu'elle préconise est essentiellement une méthode de purification. Son but est triple : maîtriser nos sens, purifier nos actes et nous relier à Kṛṣṇa à travers une relation réciproque.

La réalisation de la Vérité Absolue s'effectue en trois différentes étapes : le Brahman impersonnel, le Paramātmā localisé (l'Âme Suprême) et Bhagavān (la Personne Divine). Car, en dernière analyse, la Vérité Suprême et Absolue est une personne. Mais Elle est également l'Âme Suprême omniprésente qui habite le cœur de chaque être vivant et le centre de tous les atomes, et Elle est aussi le *brahma-jyotir,* ou l'éclat rayonnant de la lumière spirituelle. Bhagavān Śrī Kṛṣṇa possède toutes les excellences en Sa qualité de Seigneur Souverain, mais Il fait également preuve du renoncement le plus complet. Dans l'univers matériel, celui qui jouit d'une grande opulence n'est jamais très enclin à y renoncer, mais Kṛṣṇa est d'une toute autre nature ;

Il peut renoncer à tout sans que cela L'empêche de rester complet en Soi.

Lorsque nous lisons ou étudions la *Bhagavad-gītā* sous la tutelle d'un maître spirituel authentique, nous ne devons pas croire que celui-ci nous présente ses opinions personnelles. En fait, ce n'est pas lui qui parle ; il n'est qu'un instrument. Le véritable orateur n'est autre que Dieu, la Personne Suprême, présent à l'intérieur et à l'extérieur de toutes choses. Au début de Son exposé sur le yoga, dans le sixième chapitre de la *Bhagavad-gītā*, Śrī Kṛṣṇa déclare :

anāśritaḥ karma-phalaṁ kāryaṁ karma karoti yaḥ
sa sannyāsī ca yogī ca na niragnir na cākriyaḥ

« Dieu, la Personne Suprême, dit : Qui est détaché du fruit de son labeur et s'acquitte de ses obligations est un *sannyāsī* et un vrai mystique, et non celui qui n'allume pas de feu sacrificiel et n'accomplit pas son devoir. » (*Gītā* 6.1) Tout le monde agit en vue d'obtenir un certain résultat. On peut d'ailleurs se demander à quoi cela servirait d'agir si l'on n'en attendait aucun résultat ? Tout travailleur exige un salaire ou une forme de rémunération quelconque en échange de ses services. Mais Kṛṣṇa stipule ici qu'il est possible d'agir par seul sens du devoir, sans attendre de récompense en retour. Et celui qui agit dans cet esprit est un véritable *sannyāsī*, établi dans le renoncement.

Selon la culture védique, la vie doit se dérouler en quatre étapes : le *brahmacarya*, le *gṛhastha*, le *vānaprastha* et le *sannyāsa*. Le *brahmacarya*, c'est l'étape des études, où l'on reçoit une formation spirituelle. Le *gṛhastha* correspond au mariage et à la vie de famille. Puis vers l'âge de cinquante ans vient le *vānaprastha*, qui consiste, pour le mari et la femme, à quitter le foyer pour voyager vers les saints lieux de pèlerinage. Enfin, lorsque le mari se détache également de son épouse et qu'il reste seul à cultiver la conscience de Kṛṣṇa, il embrasse l'ordre du renoncement, le *sannyāsa.* Kṛṣṇa précise cependant que le renoncement n'est pas la seule marque du *sannyāsī;* il doit en effet s'acquitter d'un devoir bien précis. Quel est donc ce devoir du *sannyāsī,* de celui qui a renoncé à la vie familiale et qui n'a plus aucune obligation matérielle? Il s'agit d'un devoir de haute responsabilité, qui consiste à œuvrer pour Kṛṣṇa. Qui plus est, c'est en fait là le véritable devoir de chacun, à quelque étape de son existence que l'on se situe.

Dans la vie de tout être humain, le devoir peut revêtir deux formes : servir l'illusion ou servir la réalité. Celui qui sert la réalité est un véritable *sannyāsī,* alors que celui qui sert l'illusion est tout simplement fourvoyé par *māyā.* Quoi qu'il en soit, nous devons comprendre qu'en toutes circonstances, nous sommes contraints de servir. Nous servons donc soit l'illusion, soit la réalité. De par sa constitution même, l'être vivant est un serviteur, et non un maître; et même lorsqu'il se croit un maître, il demeure en réalité un serviteur. Dans le cadre de la vie de famille, un homme peut se croire maître de sa femme, de ses enfants, de sa maison, de son commerce ou de sa profession, mais il n'en est rien. La vérité est qu'il sert son épouse, ses enfants, son travail et tout le reste. Il en va de même pour le président d'un pays qui, bien qu'on le considère comme le maître de la nation, en est en fait le serviteur.

Nous sommes toujours dans une position de serviteur, soit à la solde de l'illusion ou au service de Dieu. Toutefois, si nous demeurons au service de l'illusion, notre vie s'envole en pure perte. Il va sans dire que personne ne veut s'avouer le serviteur de quiconque, et que chacun persiste à croire qu'il ne travaille que pour lui-même. C'est que malgré leur caractère trompeur et éphémère, les fruits de son labeur forcent l'homme à servir l'illusion, ou ses sens matériels. Mais lorsqu'on prend conscience de ses sens spirituels et qu'on s'établit dans la connaissance, on ne peut que se mettre au service de la réalité. Une fois atteint le plan du savoir, il devient évident que l'on demeure un serviteur en toutes circonstances. Et puisqu'il n'est pas possible de devenir maître de quoi que ce soit, on gagne fort à servir la réalité plutôt que l'illusion. C'est en devenant conscient de cette vérité que l'on accède au plan du véritable savoir. Or, lorsqu'on parle de *sannyāsa,* c'est-à-dire de l'ordre du renoncement, c'est à ce niveau de réalisation que nous faisons référence. Car, le *sannyāsa* n'est pas une question de statut social, mais bien de réalisation.

Il va du devoir de chacun de devenir conscient de Kṛṣṇa et de servir la cause de Kṛṣṇa. Celui qui réalise profondément cela devient un *mahātmā,* une grande âme. Dans la *Bhagavad-gītā,* Kṛṣṇa déclare que lorsqu'on accède au plan du véritable savoir, après de nombreuses vies, on s'abandonne à Lui. Qu'est-ce que cela signifie ? *Vāsudevaḥ sarvam iti* – l'homme sage réalise que Vāsudeva (Kṛṣṇa) est tout. Kṛṣṇa ajoute cependant qu'il est très rare de trouver une aussi grande âme. Pourquoi ? Si une personne intelligente vient à comprendre que le but ultime de l'existence est de s'abandonner à Kṛṣṇa, pourquoi devrait-elle hésiter à le faire ? Pourquoi ne pas s'abandonner sur-le-champ ? À quoi bon attendre tant de renaissances ? Celui qui atteint ce point d'abandon devient un vrai *sannyāsī,* mais Kṛṣṇa ne force jamais personne à s'abandonner à Lui. L'abandon résulte de l'amour, d'un amour purement transcendantal. Là où s'exerce la force, il ne peut y avoir de liberté, et donc pas d'amour non plus. Si une mère aime son enfant, ce n'est pas sous la contrainte, pas plus qu'elle n'espère en retirer un salaire ou une rémunération quelconque.

Nous pouvons aimer le Seigneur Suprême de plusieurs façons – en tant que maître, ami, enfant ou époux. Il existe en effet cinq *rasas,* ou échanges, fondamentaux, par lesquels nous sommes éternellement liés à Dieu. Et lorsque nous parvenons au stade de la libération que confère le pur savoir, nous devenons en mesure d'identifier le *rasa,* ou la relation particulière, qui nous unit au Seigneur. Ce niveau est celui du *svarūpa-siddhi,* de la réalisation spirituelle authentique. Nous sommes tous liés à Dieu par une relation éternelle, qu'il s'agisse d'une relation de serviteur à maître, d'ami à ami, de parent à enfant, d'épouse à époux, ou d'amante à amant. Ces relations sont à jamais présentes, et tout le processus de la réalisation spirituelle ainsi que la perfection du yoga consistent à raviver notre conscience de ces relations. À l'heure actuelle, notre relation avec le Seigneur Suprême ne s'exprime que de façon dénaturée dans le cadre de l'univers matériel. En ce monde, les rapports unissant le maître et le serviteur reposent entièrement sur l'argent, la force ou l'exploitation ; il n'est pas question de service fondé sur l'amour. Dès lors, ce type de relation dénaturée ne se poursuit qu'aussi longtemps que le maître paie le serviteur. Aussitôt qu'il cesse de le faire, la relation cesse également. La situation est similaire entre amis. Au moindre désagrément, l'amitié se casse, et les amis deviennent des ennemis. De la même façon, lorsque l'opinion des parents diffère de celle de l'enfant, celui-ci quitte le foyer familial, et leurs liens sont rompus. Et que dire des époux ? À la plus petite altercation, c'est le divorce.

Aucune relation en ce monde n'a de substance réelle, et aucune n'est éternelle. Nous devons toujours nous rappeler que ces relations éphémères ne sont que des reflets pervertis de la relation éternelle qui nous unit à Dieu, la Personne Suprême. Nous savons que l'image réfléchie d'un objet dans une glace n'a pas de réalité ; elle peut sembler réelle, mais lorsque nous nous approchons pour la toucher, notre main ne rencontre que le verre de la glace. Il nous faut donc comprendre que les liens qui nous unissent à nos amis, à nos parents, à nos enfants, à nos maîtres, à nos serviteurs, à notre conjoint ou à notre amant ne sont tous que de pâles reflets de la relation que nous échangeons avec Dieu. Lorsque nous atteignons ce niveau de compréhension, nous atteignons la perfection du savoir. Nous commençons alors à comprendre que nous sommes les serviteurs de Kṛṣṇa, et qu'un lien d'amour éternel nous unit à Lui.

Cette relation d'amour n'est nullement fondée sur la rétribution. Il va toutefois sans dire qu'elle n'est pas sans récompense, une récompense de loin supérieure à tout ce que nous pouvons gagner ici-bas au service de qui que ce soit. Il n'y a en effet aucune limite aux bénédictions de Kṛṣṇa. Prenons l'exemple de Bali Mahārāja, un roi très puissant qui avait conquis un grand nombre de planètes édéniques, au point que leurs habitants supplièrent le Seigneur Suprême de les sauver de ce tyran. En entendant leur requête, Śrī Kṛṣṇa prit la forme d'un jeune *brāhmaṇa* nain et Se présenta devant Bali Mahārāja en disant :

– Cher roi, J'aimerais te prier de M'accorder une faveur. Tu es un puissant monarque et tu es connu pour faire la charité aux *brāhmaṇas*. Consentiras-tu à accéder à Ma demande ?

– Exprime Ton vœu ; je T'accorderai ce que Tu désires, répondit Bali Mahārāja.

– J'aimerais que tu Me donnes autant de terre que Je suis capable de couvrir en trois enjambées.

– Est-ce bien tout ? Que feras-Tu d'un territoire aussi restreint ?

– Si petit soit-il, cela Me suffira, conclut le jeune garçon en souriant.

Bali Mahārāja se rendit à Sa requête, et le nain, prenant une forme gigantesque, couvrit l'univers entier en deux enjambées, après quoi Il demanda au roi où Il allait maintenant pouvoir poser Son pied. Comprenant que le Seigneur Suprême lui témoignait Sa grâce, Bali Mahārāja Lui répondit : « Cher Seigneur, j'ai maintenant tout perdu ; je n'ai plus aucun autre bien. Mais il me reste ma tête.

Aurais-Tu l'obligeance d'y poser Ton pied ? » Śrī Kṛṣṇa Se montra très satisfait de la réaction de Bali Mahārāja, si bien qu'Il lui demanda de Lui adresser à son tour une requête.

– Je n'ai jamais rien attendu de Toi, répondit le roi ; mais Tu voulais quelque chose de moi, alors je T'ai offert tout ce que j'avais.

– C'est vrai, mais J'ai aussi quelque chose pour toi. Je remplirai désormais pour toujours les fonctions de serviteur à ta cour.

C'est ainsi que le Seigneur devint en retour le gardien de la porte de Bali Mahārāja. Si nous offrons quelque chose au Seigneur, cela nous revient des millions de fois. Mais nous ne devons pas le faire dans ce but, même si le Seigneur Se montre toujours empressé de récompenser sans limites le service que Lui offre Son dévot. Quiconque perçoit que le service de Dieu est son véritable devoir possède la connaissance parfaite, et il faut savoir qu'il a atteint la perfection du yoga.

CHAPITRE HUIT

La perfection du yoga

NOUS AVONS VU qu'au courant de l'évolution de l'être vivant vers la perfection du yoga, le fait de voir le jour dans une famille de *yogīs* ou de *bhaktas* représente une bénédiction incomparable, en raison de l'élan spirituel qui en résulte.

prayatnād yatamānas tu yogī saṁśuddha-kilbiṣaḥ
aneka-janma-saṁsiddhas tato yāti parāṁ gatim

« Et quand, purifié de toute contamination, le *yogī* s'efforce sincèrement de progresser sur la voie de la réalisation spirituelle et atteint la perfection après de nombreuses vies de pratique, il accède finalement au but suprême. » (*Gītā* 6.45) Lorsqu'on se purifie enfin de toute souillure, on atteint la perfection ultime du yoga – la conscience de Kṛṣṇa. Ainsi que le confirme Kṛṣṇa Lui-même, on accède en effet au stade de la perfection dès lors qu'on s'absorbe pleinement en Lui :

bahūnāṁ janmanām ante jñānavān māṁ prapadyate
vāsudevaḥ sarvam iti sa mahātmā su-durlabhaḥ

« Après de nombreuses morts et renaissances, l'homme au vrai savoir s'abandonne à Moi, parce qu'il sait que Je suis la cause de toutes les causes et tout ce qui est. Une si grande âme est infiniment rare. » (*Gītā* 7.19) Après de nombreuses vies à agir dans la vertu, donc, lorsque l'on s'affranchit de toutes les souillures issues de la dualité illusoire, on se voue au service transcendantal du Seigneur. Śrī Kṛṣṇa conclut Son exposé sur la question en disant :

yoginām api sarveṣāṁ mad-gatenāntar-ātmanā
śraddhāvān bhajate yo māṁ sa me yuktatamo mataḥ

« Et de tous les *yogīs*, celui qui, avec une foi totale, demeure toujours en Moi et médite sur Moi en Me servant avec amour, celui-là est le plus grand et M'est le plus intimement lié. Tel est Mon avis. » (*Gītā* 6.47)

Il s'ensuit donc que toutes les formes de yoga culminent dans le *bhakti-yoga*, qui consiste à servir Kṛṣṇa avec amour et dévotion. En fin de compte, toutes les formes de yoga décrites dans la *Bhagavad-gītā* convergent vers ce point, car Kṛṣṇa représente le but ultime de tous les yogas. Entre les premiers échelons du *karma-yoga* et les derniers du *bhakti-yoga*, la voie de la réalisation spirituelle est fort longue. Le *karma-yoga*, pratiqué dans le détachement des fruits de l'action, marque le début de ce cheminement. Lorsque le *karma-yoga* s'enrichit de la connaissance et du renoncement, il devient ce qu'on appelle le *jñāna-yoga*, ou le yoga du savoir. Lorsque à son tour le *jñāna-yoga* s'enrichit de la méditation sur l'Âme Suprême par le biais de divers exercices physiques, il prend le nom d'*aṣṭāṅga-yoga*. Et lorsque, surpassant l'*aṣṭāṅga-yoga*, on en vient à adorer Dieu, la Personne Suprême, Śrī Kṛṣṇa, on atteint le sommet, c'est-à-dire le *bhakti-yoga*. De fait, le *bhakti-yoga* représente le but ultime, mais pour pouvoir l'analyser en profondeur, il faut être familier avec les autres formes de yoga. Le *yogī* qui progresse ainsi marche donc véritablement vers son éternelle bonne fortune. Celui qui interrompt son progrès en se fixant à une étape donnée est identifié au système de yoga auquel il s'arrête, et porte le nom de *karma-yogī*, *jñāna-*

yogī, dhyāna-yogī, rāja-yogī, haṭha-yogī, etc. ; mais celui qui a le bonheur d'accéder au *bhakti-yoga,* à la conscience de Kṛṣṇa, surpasse d'emblée toutes les autres formes de yoga.

La conscience de Kṛṣṇa représente l'ultime maillon de la chaîne des *yogas,* le lien même qui nous unit à la Personne Suprême, Śrī Kṛṣṇa. Sans ce maillon final, la chaîne tout entière devient pratiquement inutile. Ceux qui s'intéressent réellement à la perfection du yoga doivent donc immédiatement adopter la conscience de Kṛṣṇa en chantant le *mahā-mantra* Hare Kṛṣṇa, en s'efforçant de comprendre la *Bhagavad-gītā,* et en servant Kṛṣṇa par l'intermédiaire du Mouvement International pour la Conscience de Kṛṣṇa. Ainsi pourront-ils surpasser toutes les autres formes de *yoga,* et atteindre le but ultime du yoga – l'amour de Kṛṣṇa.

L'auteur

Sa Divine Grâce A.C. Bhaktivedanta Swami Prabhupāda naquit à Calcutta en 1896. Il reçut de ses parents le nom de Abhay Charan, ce qui veut dire : «Celui qui, ayant pris refuge aux pieds pareils-au-lotus de Kṛṣṇa, ignore la crainte.»

En 1922, après avoir mené à bien ses études à l'Université de Calcutta et participé activement au mouvement non-violent de Gandhi, il assista pour la première fois à une conférence tenue par Śrīla Bhaktisiddhānta Sarasvatī Ṭhākura, l'un des plus grands maîtres et érudits en matière de connaissance védique. Après le discours, Abhay Charan fut introduit auprès du maître qui lui demanda de faire connaître la philosophie de la *Bhagavad-gītā* en l'Occident. Abhay Charan ne put immédiatement satisfaire la requête de Śrīla Bhaktisiddhānta Sarasvatī. Il n'oublia jamais, cependant, cet entretien, et onze ans plus tard, il accepta officiellement ce dernier comme maître spirituel. En 1936, quelques jours avant de quitter ce monde, Śrīla Bhaktisiddhānta formula à nouveau son désir de le voir transmettre le message de la *Bhagavad-gītā* aux contrées occidentales.

Alors qu'Abhay Charan résidait encore en Inde, son maître spirituel lui apparaissait souvent en songe, renouvelant toujours la même demande. En 1959, encouragé par l'un de ses frères spirituels, il décida de prendre l'ordre du renoncement (le *sannyāsa*) ; c'est alors que lui fut attribué le nom de A.C. Bhaktivedanta Swami. Abandonnant sa vie familiale et sociale, il se retira à Vṛndāvana, lieu de l'avènement de Śrī Kṛṣṇa il y a 5 000 ans, pour y traduire en langue anglaise le *Śrīmad-Bhāgavatam*, et plusieurs autres textes sanskrits.

En 1965, il s'embarqua sur un cargo à destination des États-Unis, avec pour toute fortune 40 roupies. Seul à New-York, il se rendait chaque jour dans un parc et chantait le *mantra* Hare Kṛṣṇa. De nombreux jeunes furent attirés par sa personnalité ; ils chantaient avec lui les *mantras* védiques et assistaient régulièrement à ses cours sur le *bhakti-yoga*. Quelque temps plus tard, il ouvrit son premier temple de Kṛṣṇa dans une petite boutique désaffectée.

Bientôt, ses disciples établirent des temples à Los Angelès, San Francisco, puis Londres et Paris ; aujourd'hui, le Mouvement pour la Conscience de Kṛṣṇa, avec ses milliers de *bhaktas*, est présent en chaque grande ville de la planète, et Śrī Śrīmad A.C. Bhaktivedanta Swami Prabhupāda est devenu l'auteur de philosophie védique le plus lu et le plus apprécié dans le monde. Il a maintenant publié nombre d'ouvrages essentiels, tels que *La Bhagavad-gītā, Le Śrīmad-Bhāgavatam, Le Nectar de la Dévotion, Le Livre de Kṛṣṇa*, et *Le Śrī Caitanya-caritāmṛta*. Par souci de garder intact le sens premier des textes anciens, A.C. Bhaktivedanta Swami Prabhupāda donne, pour chacun de ces ouvrages, le sanskrit original, la traduction mot à mot puis la traduction littéraire ; il précise ensuite la teneur et portée à la lumière d'enseignements millénaires de maîtres appartenant à une filiation spirituelle remontant à Kṛṣṇa Lui-même *(guru-paramparā)*.

Aujourd'hui, ses livres servent d'ouvrages de référence aux étudiants en philosophies orientales de la plupart des grandes universités du monde. Infatigable, Bhaktivedanta Swami Prabhupāda voyagea d'un bout à l'autre de la terre : il s'adressa chaque jour à un vaste auditoire et, avec constance, instruisit ses disciples, transmettant son héritage spirituel, afin qu'à leur tour ils puissent offrir à tous cette sagesse védique dans sa pureté originelle.

Guide de prononciation du sanskrit

À travers les siècles, la langue sanskrite a été écrite dans toute une variété d'alphabets. Cependant, le mode d'écriture le plus largement utilisé dans l'Inde entière est le *devanāgarī,* terme qui signifie littéralement l'écriture en usage « dans les cités des *devas* ». L'alphabet *devanāgarī* consiste en quarante-huit caractères : 13 voyelles et 35 consonnes.

Les grammairiens sanskritistes de l'antiquité ont agencé cet alphabet selon des principes linguistiques pragmatiques reconnus par tous les érudits occidentaux.

Le système de translittération présenté ici est conforme à celui que les linguistes ont adopté depuis les cinquantes dernières années pour indiquer la prononciation des mots sanskrits.

La plupart des voyelles et des consonnes se prononcent comme en français, sauf quelques exceptions. Le « ṛ » qui se prononce « ri ». Le « c » se prononce « tch ». Le « ṣ » et le « ś » se prononcent « sh ». Le « u » se prononce « ou ». Le « e » se prononce « é ». Les voyelles sont longues lorsqu'il y a un trait au-dessus (ā, ī, ū).

Glossaire

Aṣṭāṅga-yoga : méthode de yoga comportant huit étapes : *yama* (observances), *niyama* (abstinences), *āsana* (postures classiques du *yoga), prāṇāyāma* (contrôle de la respiration), *pratyāhāra* (contrôle des sens), *dhāraṇā* (concentration), *dhyāna* (méditation) et *samādhi* (contemplation du Seigneur dans le cœur).

Ātmā : ce mot peut désigner le corps, le mental, l'intelligence ou l'Âme Suprême, mais le plus souvent il désigne l'âme individuelle.

Bhagavad-gītā : Le plus célèbre des Textes sacrés de l'Inde. Il constitue le chapitre le plus philosophique du Mahābhārata, la grande épopée indienne.

Bhakti-yoga : relation avec le Seigneur Suprême à travers le service de dévotion.

Brahmacarya : période de célibat et d'étude sous la tutelle d'un maître spirituel.

Brahma-jyotir : radiance émanant de la forme transcendantale de Kṛṣṇa qui illumine le monde spirituel.

Caitanya Mahāprabhu : Incarnation de Kṛṣṇa qui apparut il y a cinq siècles pour répandre le yoga de l'amour divin par le chant des saints noms de Dieu.

Jñāna-yoga : recherche de la Vérité sur le plan philosophique.

Kali-yuga : âge de querelle et d'hypocrisie commencé depuis 5 000 ans et durant en tout 432 000 ans. Quatrième du cycle des quatre âges. (Voir **Yuga**)

Karma-yoga : 1) Yoga qui permet de se détacher progressivement de l'existence matérielle en renonçant aux fruits de ses actes ; 2) Voie de yoga par laquelle l'action et ses fruits sont dédiés au service de Dieu.

Kṛṣṇa : nom originel de Dieu, la Personne Suprême, dans Sa forme spirituelle première ; il signifie « l'Infiniment Fascinant ».

Mahā-mantra : le « grand mantra » – Hare Kṛṣṇa Hare Kṛṣṇa Kṛṣṇa Kṛṣṇa Hare Hare / Hare Rāma Hare Rāma Rāma Rāma Hare Hare.

Mahātmā : (grande âme) celui qui comprend au plus profond de lui-même que Kṛṣṇa est tout, et qui, de ce fait, s'abandonne à Lui.

Mūrti : manifestation de la forme personnelle de Dieu à travers certains matériaux déterminés. Kṛṣṇa, le créateur et maître de tous les éléments, apparaît sous cette forme pour faciliter le service de Son dévot.

Prasāda : miséricorde de Dieu ; nourriture offerte avec amour et dévotion à Kṛṣṇa qui la consacre et lui donne le pouvoir de purifier ceux qui la mangent.

Veda : Écriture védique originelle divisée en quatre parties : le *Ṛg*, le *Yajur*, le *Sāma* et l'*Atharva*.

Yoga : (union avec Dieu) discipline spirituelle qui permet d'unir l'être distinct à l'Être Suprême.

Yugas : Chacun des quatre âges de la terre formant un cycle de 4 320 000 ans.

Table des matières